Rußland – Abenteuer und Genuß

Lassen Sie sich zu einer kulinarischen Reise durch Rußland einladen. Lernen Sie das riesige Land mit seinen Spezialitäten kennen. Probieren Sie seine aromatischen Suppen, ofenfrischen Piroggen, wohlschmeckenden Bliny mit Kaviar und anderen typischen Köstlichkeiten. Überzeugen Sie sich selbst und genießen Sie.

Die Farbfotos gestalteten
Odette Teubner
und Kerstin Mosny.

Wie das Land, so das Essen . . .

Russisches Essen ist so prachtvoll, vielfältig und bunt wie das Leben selbst. Die Köstlichkeiten der russischen Küche wurden im Laufe der wechselvollen Geschichte dem immer anspruchsvoller werdenden Geschmack angepaßt, variiert, verfeinert oder durch neue Zutaten ergänzt.

Ofenfrische Piroggen, feine Suppen und knusprige Teigwaren, die scharfen Soljanki, die berühmten Bliny und der zauberhafte Paßcha sind nur einige Beispiele, aber in der ganzen Welt bekannt. Und: die Glanzlichter der Gerichte bestechen durch Einfachheit und schnelle Zubereitung.

Denn die Russen essen zwar gerne gut, mühen sich aber ungern lange in der Küche ab. Wenn Sie sich auf eine kulinarische Reise nach Rußland begeben, dann denken Sie daran: Nicht jeder Russe ist ein begnadeter Koch, aber jeder glaubt an seine Fähigkeiten, liebt seine Gäste und hofft auf den Erfolg.

Wer träumt nicht vom Zauber dieses Landes mit seinen Kirchen (hier: Kirchtürme von Sagorsk) und Kuppeln. Auch kulinarisch hat Rußland einiges zu bieten. Und: Die Russen legen großen Wert auf gutes Essen.

Auch das Auge ißt mit!

Die traditionelle russische Tafel ist festlich geschmückt und erinnert mit den phantasievoll garnierten Gerichten an die farbenfrohe Illustration eines russischen Märchens oder an ein Ornament. Nelken und Rosen aus Butter, Pilze aus hartgekochten Eiern mit Hüten aus Tomatenhälften, bunte Wiesenblumen aus Radieschen, Karotten, roten Beten dekorieren die Salatschüsseln. Dillzweige und Petersilienblätter umrahmen das Ganze.

Geschälte Zwiebeln werden halbiert, die einzelnen Schichten getrennt und mit kleinen Portionen Fleisch- und Fischsalat oder Oliven gefüllt. Dünne Wurst-, Schinken- und Käsescheiben werden bis zur Mitte eingeschnitten, zu einem Tütchen geformt und mit Erbsen, Maiskörnern oder Salat gefüllt. Die russischen Dekorationen sehen nicht nur schön aus, sondern schmecken auch gut. Das Herstellen der Dekoration ist eine lustige Beschäftigung für die ganze Familie. Und jeder kann dabei seine Phantasie frei entfalten.

Saures Roggenbrot und feurige Kalatschen

Die Russen sind ein Volk von Brotessern. Die unzähligen Arten von Wecken, Kringeln, Striezeln und Kalatschen waren schon im Zarenreich sehr begehrt. Kalatschen wurden in der Moskauer Gegend gebakken und als fertige Backwaren in die weitesten Ecken des Landes geliefert. Der Grund dafür ist nicht ein technologisches Geheimnis, sondern die für diese Region typischen Eigenschaften von Klima, Boden, Wasser, Weizen und Bearbeitungsart. Gut ausgetrocknetes, mehrmals durchgesiebtes Hartweizenmehl ist das Richtige für Kalatschen. Es darf nicht frisch gemahlen sein. Die russischen Bäcker kneteten den Teig direkt auf Eis oder auf einem eiskalten Blech. Die berühmten Moskauer Kalatschen wurden bis Sibirien gefahren und sogar während des Krieges mit Napoleon (1812–1814) für die russische Armee mit Pferdekutschen nach Paris gebracht. Die gebackenen Kalatschen wurden schon damals auf Eis gelegt und so auf die lange Reise nach Paris geschickt. Dort wurden sie dann in feuchten heißen Handtüchern aufgetaut. Auch die Zaren, die ihren Hof in Petersburg hatten, verlangten nach Moskauer Brot. Aber nicht das feine Weißbrot, sondern das kräftig schmeckende, knusprige und dunkle Roggenbrot ist der »ungekrönte König« einer russischen Tafel. Das Brot wurde aus saurem Hefeteig gebacken und ist heute genauso populär wie in Rußlands heidnischen Zeiten. In Deutschland können Sie es durch Roggenvollkornbrot ersetzen. Es schmeckt wie aus einer russischen Bäckerei. Ganz nach alter Tradition werden auch noch heute besonders gern gesehene Gäste mit einem frischgebackenen Brotlaib begrüßt. Schon vor der Haustür werden die Gäste von festlich gekleideten Gastgebern erwartet. Die Hausfrau hält ein

bunt bemaltes Tablett in den Händen, das mit einem rot bestickten Handtuch bedeckt ist. Darauf liegt ein großer Karawai (Brotlaib) und ein Salzgefäß. Das rote Ornament auf dem Handtuch bedeutet das Leben, der Brotlaib Wohlstand und das Salz Schutz vor Feuer und Unglück.
Der Gast begrüßt alle mit den Worten »Chleb da sol« (Brot und Salz). Er bekommt die Antwort: »Nehmt vom Brot und seid willkommen!« Der Gast bricht sich ein Stück Brot ab, kostet und lobt es.
Bei allen wichtigen Ereignissen des Lebens spielt das Brot eine

Typische Marktszene – eine Bäuerin bietet ihre selbstgezogenen Kräuter an, denn Kräuter sind sehr beliebt.

entscheidende Rolle. So muß beispielsweise eine junge Mutter nach der Geburt ihres Kindes ein Stück Brot von einem Brotlaib abbrechen und essen. Ein zweites Stück wird dem Kind in die Wiege gelegt. In den Dörfern wird der Familie der Braut ein großer, reich verzierter Karawai gebracht. Stimmt die Familie der Verlobung zu, wird eine Mahlzeit angeboten und mit dem Brot zusammen gegessen. Lehnt die Familie jedoch ab, wird das Brot zurückgewiesen.

Die Gäste sind da: Bitte zu Tisch!

In Rußland wird entweder zum Essen oder zum Tee eingeladen. Das ist jedesmal ein Fest sowohl für die Gäste als auch für den Gastgeber. Und wie jedes Fest hat auch die russische Gastlichkeit ihre Tradition. Je nach Gegend gibt es um 12, 14 oder auch um 18 Uhr Mittagessen. Zur Begrüßung wird vor dem Essen ein Gläschen Wodka getrunken. Dann werden die verschiedenen Sakuski (Vorspeisen) serviert. Es folgen die Suppe zusammen mit herzhaften Piroggen (Pasteten) oder Kascha (Getreidegerichte), dann das warme Hauptgericht und zum Schluß das Dessert. Zwischen 20 und 22 Uhr wird zum Tee eingeladen. Es werden Warenje – eine flüssige Konfitüre mit ganzen Früchten – und süßes Gebäck wie Striezel, Kringel, Blinsen oder Kalatschen, Bliny (Pfannkuchen) und Piroggen mit verschiedenen süßen Füllungen angeboten. Das Gebäck wird dekorativ in flachen Schüsseln serviert. In eine Teekanne werden 2–3 Teelöffel Tee gegeben, mit kochendheißem Wasser überbrüht und sofort zugedeckt. Etwa 5 Minuten wird der Teesud warmgehalten. Dafür wird auf die Teekanne eine hübsche Wärmepuppe, eine sogenannte »Babuschka« aufgesetzt. Der Tee wird dann mit Zucker, Honig oder Warenje gesüßt. Die echten Genießer löffeln Warenje mit einem Teelöffel aus kleinen Schälchen und nehmen einen Schluck von dem ungesüßten Tee.

Mehr als Kaviar . . .

Keine andere Küche der Welt bietet eine solche Vielfalt an verschiedenen Vorspeisen wie die russische. Aus dem uralten bäuerlichen Brauch, den Tag nicht mit leerem Magen zu beginnen, sind die »Sakuski« (Vorspeisen) entstanden. Im Laufe der Zeit haben die Russen eine bunte Palette an kleinen phantasievoll verzierten Gerichten entwickelt. Aus Pilzen, Getreide, Obst, Fisch, Fleisch, Wild und Geflügel, die gekocht, gedämpft, gebraten, geräuchert, oder mariniert werden, aber auch frisch sein können, lassen sich hervorragende Köstlichkeiten zaubern. Sakuski werden dann warm und kalt serviert. Sie werden in tiefe oder flache Schalen gefüllt, wobei die tiefen in die Mitte des Tisches gestellt werden und die flachen an den Tischrand. Beliebteste

Sakuska ist Kaviar. Er wird in Kaviarschälchen oder auf kleinen Tellern serviert und mit Zitronenscheiben, Butterflöckchen oder Zwiebelringen dekoriert. Diese wohlschmeckenden, aber kalorienreichen Sakuski sollen den Appetit anregen. Jeder nimmt sich nur ganz kleine Portionen, probiert da ein Häppchen und dort eines. Dieser Gang ist nur zum Kosten und Genießen. Sakuski bleiben bis zum Dessert auf dem Tisch stehen. Auch bei den folgenden Gängen wird gerne nochmal zugegriffen, um die anderen Gerichte nach eigenem Geschmack zu kombinieren und verfeinern. Zu Sakuski werden Schwarz- und Weißbrot sowie heiße Kalatschen serviert. Zum Würzen stehen Salz, schwarzer gemahlener Pfeffer, Essig, Meerrettich und scharfer russischer Senf auf dem Tisch.

Na Zdorowje! Zum Wohl!

In Flaschen oder Karaffen wird kristallklarer Wodka eiskalt serviert. Dieses Getränk mit nicht mehr und nicht weniger als 40 Prozent Alkohol ist unbedingt ein Muß, um den Geschmack der Gerichte optimal abzurunden. Eingeschenkt werden immer 100 ml, die auch bis zum letzten Schluck ausgetrunken werden müssen. Das tut gut!
Wodka wird zum Essen oder danach getrunken. Aber ein echter Russe trinkt diese Menge schon vor dem Essen. Erst dann greift er zu den Sakuski.

Typisch russisch sind auch Säfte, Fruchtwasser, Kwaß oder der heiße Sbiten, der nach dem Hauptgang getrunken wird.

Kascha – Leibgericht der Zaren

Neben einer Vielzahl von Pilz- und Fisch-, Gemüse-, Waldbeeren- und Kräutergerichten sind besonders Getreidemahlzeiten typisch für die russische Küche. Fast aus jeder Getreideart werden Graupensorten hergestellt. Aus diesen Graupen kocht die russische Hausfrau eines der beliebtesten und populärsten Gerichte Rußlands – die »Kascha«. Als Brei oder Grütze ist sie bei jung und alt sowohl im Sommer als auch im Winter sehr beliebt. Sie wird entweder zum Frühstück, Mittagessen oder Abendbrot gegessen, manchmal sogar dreimal täglich. Kascha ist ein vollständiges Gericht, kann aber auch als Beilage serviert werden oder statt Brot. Ob Kascha ein verlockendes Gericht wird, hängt von den Zutaten ab.
Würzig oder süß, dünn oder dick – Kascha wird immer mit Butter, Milch und Sahne verfeinert. Die herzhafte, würzige Kascha wird mit Fleisch, Fisch, Eiern, Pilzen, Zwiebeln, Käse oder Speck angerichtet. Dann mit schwarzem Pfeffer, Paprikapulver, Knoblauch, Petersilie, Dill oder Selleriegrün gewürzt, wie zu Zeiten der Zaren. Und die feine süße Kascha? Sie wird mit Zucker, Konfitüre oder

Honig gewürzt und der Geschmack durch Rosinen, Nüsse, Schokolade oder frisches Obst hervorragend abgerundet. Welche Gewürze die russischen Zaren für ihr Lieblingsgericht gewählt haben, läßt sich heute nur noch erahnen – Zimt oder Vanille, Muskatnuß oder Zitronenschale...?

Suppen sind immer willkommen

Auf Befehl des Zaren Peter I. wurden die traditionellen, flüssigen heißen Gerichte, die in ganz Rußland »Pochljobka« hei-

ßen, in Suppe umbenannt. Dadurch änderte sich aber nichts an der Bedeutung des Gerichtes. Eine heiße aromatische Suppe, die in einem Tontopf kochendheiß serviert wird, ist stets Auftakt zu einem Essen, gleichgültig, ob Fest- oder Alltagsessen.

Jeder bekommt einen hölzernen mit prächtigen Ornamenten bemalten Löffel – einer schöner als der andere. Besonders im Herbst und im Winter, wenn es sehr kalt ist, werden gerne warme gehaltvolle Fisch- und Fleischsuppen gegessen. Für die sonnigen Frühlings- und Sommertage gibt es eine Reihe

köstlicher kalter Obst- und Milchsuppen. In ganz Rußland werden die gleichen traditionellen Suppen gekocht. Aber in jeder Region des riesigen Landes schmecken Stschi (Kohlsuppen), würzige Rassolnik und Soljanka, Ucha (Fischsuppe), Okroschka, Botwinja und Tjuria (kalte Kwaßsuppen) anders. Der beim Moskauer Adel beliebte Stschi wurde aus einer Mischung aus Rind-, Hammel-, Hühner- und Entenfleisch sowie Schinken gekocht. Dann mit feinen Gewürzen und Smetane (saurer Sahne) abgeschmeckt. In Sibirien gehören verschiedene Pilzsorten und auch Beeren dazu. In Mittelrußland, wo es mehr Seen und Flüsse gibt, werden die besonderen Stör-, aber auch Flußbarsch-Stschi zubereitet. Auch vegetarische Stschi aus Kraut, Brennesseln, Sauerampfer, Giersch oder Bärenklau sind sehr beliebt. Wichtig dabei: Er muß unbedingt so dick sein, daß der Löffel darin steht. Deshalb wird er meist am Vortag zubereitet und bleibt noch 12 bis 14 Stunden stehen. Diese Suppe heißt Tages-Stschi und hat einen besonderen, sehr eigenen Geschmack. Die russische Küche kennt unzählige Varianten mit Kartoffeln, Rüben, Pilzen oder Äpfeln. Bei den Donkosaken werden die beliebten Stschi mit Sahne, in Mittelrußland mit Butter und in Sibirien mit Joghurt verfeinert. Eine alte russische Weisheit verspricht: »Laß mich in deinen Suppentopf gucken, und ich sage dir, wer du bist.«

Auf diesem Markt – Dobrininfki rinok – wird der Quark für die berühmte Paßcha noch lose verkauft.

Krabben auf Husaren-Art

Krabi po-gussarski

Zutaten für 4 Personen:
200 g Krabben aus der Dose
Saft von 1 Zitrone
2 saftige süße Birnen
125 g Mayonnaise aus dem Glas
125 g Sahne
1 Prise Zucker
1 Eßl. Weinbrand
1 Eßl. Dill, frisch gehackt
4 Zitronenscheiben

Gelingt leicht

Pro Portion etwa:
1700 kJ/400 kcal
10 g Eiweiß · 36 g Fett
8 g Kohlenhydrate

● Zubereitungszeit: etwa
  20 Minuten

1. Die Krabben abtropfen lassen und 8 Krabben zum Garnieren beiseite legen. Die Krabben in eine Schüssel geben, mit etwas Zitronensaft beträufeln und etwa 5 Minuten ziehen lassen.

2. Die Birnen schälen, vierteln und dabei das Kerngehäuse entfernen. Die Viertel in kleine Würfel schneiden und unter die Krabben mischen.

3. Für das Dressing die Mayonnaise mit der Sahne und dem Zucker verrühren. Den restlichen Zitronensaft und den Weinbrand unterrühren.

4. Die Krabben mit dem Dressing vermischen und auf Tellern verteilen. Oder die Krabben in eine tiefe Schüssel oder 4 Gläser geben und die Sauce darüber gießen.

5. Den Dill über die Krabben streuen. Mit den restlichen Krabben und den Zitronenscheiben garnieren.

Heringe russisch

Seljdz po-russki

Der Hering, den die Mönche im Kloster auf den Solowezki-Inseln zubereitet haben, war in ganz Rußland bekannt. Es war aber nicht leicht, den Fisch nach Moskau zu bringen. Deshalb wurde der frische Fisch gleich nach dem Fang in Holzfässer gelegt, mit Salz bestreut, mit Pfefferkörnern und Lorbeerblättern gewürzt, gut verschlossen und im Klosterkeller gelagert oder nach Moskau transportiert.

Zutaten für 4 Personen:
2 Eier
300 g Salzherings- oder Matjesfilets
2 Gewürzgurken
2 kleine rote Beten, mariniert oder gekocht
2 Eßl. Kapern
100 g Mayonnaise aus dem Glas

Berühmtes Rezept

Pro Portion etwa:
1800 kJ/430 kcal
16 g Eiweiß · 70 g Fett
4 g Kohlenhydrate

● Zubereitungszeit: etwa
  20 Minuten

1. Die Eier in etwa 10 Minuten hart kochen, abkühlen lassen und schälen. Die Eier halbieren und die Eigelbe herauslösen. Die Eiweiße und die Eigelbe getrennt fein hacken.

2. Die Herings- oder Matjesfilets schräg in etwa 2 cm breite Stücke schneiden und auf einen Teller legen.

3. Die Gurken und die roten Beten in kleine Würfel schneiden. Die Kapern kleinhacken.

4. Die Gurkenwürfel, die Eiweiße, die Roten-Beten-Würfel, die Eigelbe und die Kapern streifenweise über oder neben die Fischfilets streuen, so daß es wie ein Regenbogen aussieht.

5. Die Mayonnaise in einen Spritzbeutel geben und rund um die Fischstücke spritzen.

Variante:

In anderen Regionen wird diese Vorspeise noch bunter dekoriert. Dafür 1 Möhre schälen und garen. 2–3 Kartoffeln mit Schale in etwa 20 Minuten garen. Dann schälen und zusammen mit der Möhre in Scheiben schneiden. 2 rote Zwiebeln schälen und in dünne Ringe schneiden. Die Möhren- und Kartoffelscheiben sowie die Zwiebelringe rund um den Fisch verteilen.

Bild oben: Krabben auf Husaren-Art
Bild unten: Heringe russisch

Eier mit Champignons

Jaiza s schampinjonami

Zutaten für 4 Personen:

4 Eier

300 g Champignons

1 kleine Zwiebel

50 g Butter

Salz

schwarzer Pfeffer, frisch gemahlen

50 g Mayonnaise aus dem Glas

Zum Garnieren:

5 Salatblätter

Für Gäste

Pro Portion etwa:
1200 kJ/290 kcal
9 g Eiweiß · 27 g Fett
2 g Kohlenhydrate

- Zubereitungszeit: etwa
  25 Minuten

1. Die Eier in etwa 10 Minuten hart kochen, abkühlen lassen und dann schälen. Die Eier der Länge nach halbieren und von der gewölbten Seite je ein Stück abschneiden. Die Eigelbe herauslösen.

2. Die Champignons waschen, wenn nötig putzen, und kleinschneiden.

3. Die Zwiebel schälen und in kleine Würfel schneiden. Die Butter erhitzen. Die Champignons mit den Zwiebeln darin etwa 10 Minuten braten. Mit Salz und Pfeffer würzen und abkühlen lassen.

4. Die Eigelbe kleinschneiden und mit den Champignons verrühren.

5. Die Eiweißhälften mit der Masse füllen. Die Salatblätter waschen, trockenschleudern und auf einem flachen Teller ausbreiten. Die Eierhälften und die Mayonnaise darauf verteilen.

Russische Vinaigrette

Russki vinegrett

Zutaten für 4 Personen:

300 g mageres Rind-, Kalb-, Hammel- oder Schweinefleisch

1 mittelgroße Zwiebel

5 Pfefferkörner

1 Lorbeerblatt

1 rote Bete

1 Möhre

4 mittelgroße Kartoffeln

2 Salzgurken

1 Ei

100 g Sauerkraut

2–3 Eßl. Sonnenblumenöl

1 Teel. Senf

Salz

Zucker

2 Eßl. Essig

Braucht etwas Zeit

Pro Portion etwa:
1400 kJ/330 kcal
21 g Eiweiß · 18 g Fett
21 g Kohlenhydrate

- Zubereitungszeit: etwa
  2 1/2 Stunden

1. Das Fleisch kalt abwaschen. Die Zwiebel, schälen. Das Fleisch, die Zwiebel, die Pfefferkörner und das Lorbeerblatt in etwa 2 l kaltem Wasser zum Kochen bringen. Das Fleisch darin bei mittlerer Hitze in 1 1/2–2 Stunden zugedeckt garen, dann herausnehmen und abkühlen lassen.

2. Die rote Bete waschen und in etwa 50 Minuten garen. Die Möhre schälen.

3. Die Kartoffeln waschen und mit der Möhre in etwa 20 Minuten garen, dann abkühlen lassen. Die Kartoffeln schälen und mit der Möhre und den Salzgurken klein würfeln. Das Fleisch klein würfeln.

4. Inzwischen das Ei in etwa 10 Minuten hart kochen, abkühlen lassen, schälen, achteln und zum Garnieren beiseite legen.

5. Die Fleisch-, die Möhren-, die Kartoffel- und die Salzgurkenwürfel mit dem Sauerkraut mischen.

6. Die rote Bete kleinschneiden, mit 1 Eßlöffel Öl verrühren und ebenfalls dazugeben.

7. Den Senf, Salz, Zucker mit dem restlichen Öl und dem Essig verquirlen und mit den Salatzutaten mischen. Die Vinaigrette in eine Schüssel oder auf Teller geben und mit den Eiachteln garnieren.

Im Bild oben: Eier mit Champignons
Im Bild unten: Russische Vinaigrette

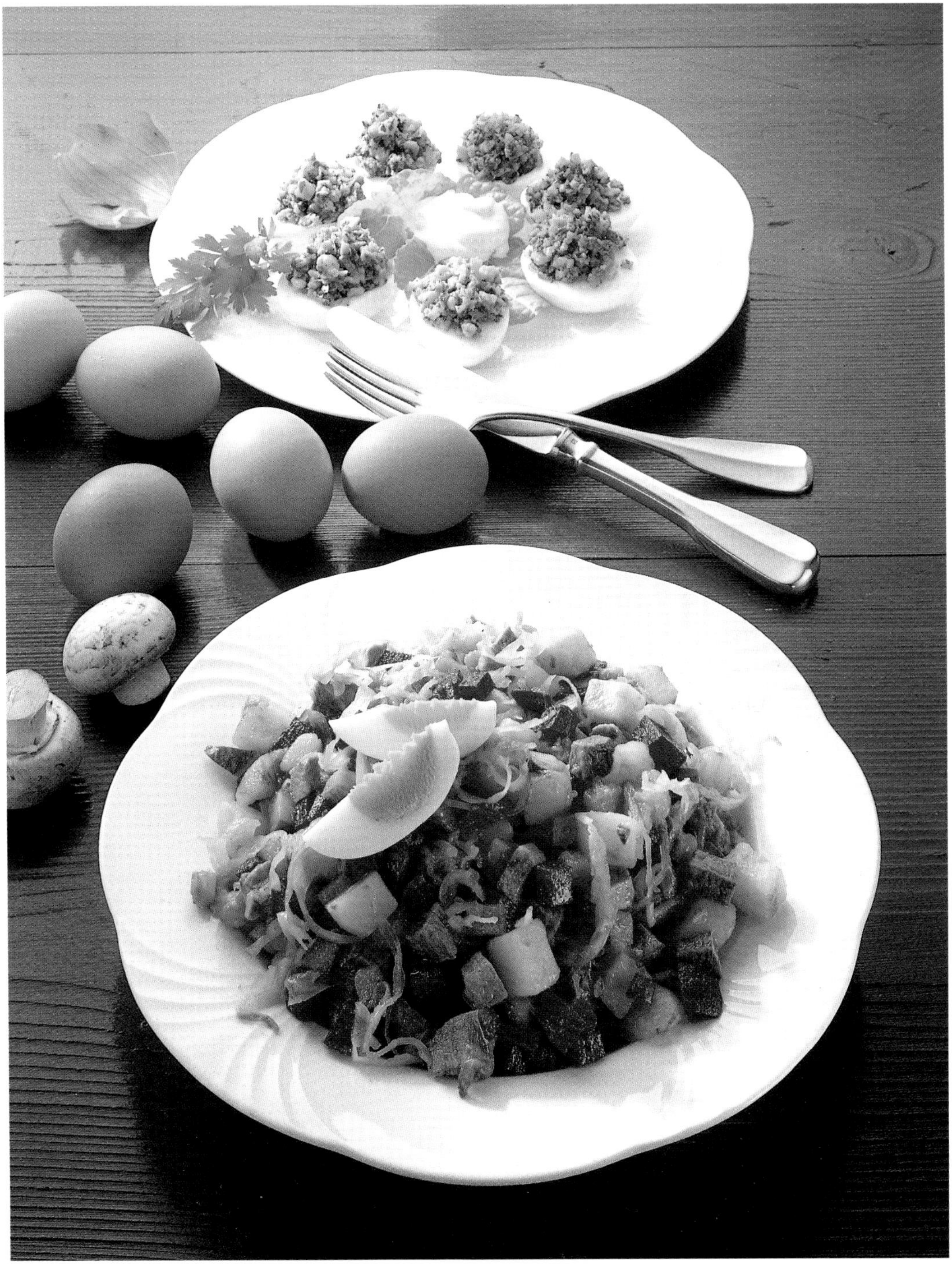

Weißkohlsalat mit Äpfeln und Sellerie

Salat iz belokatschannai kapusti s jablokami i seldereem

Der Weißkohlsalat bekommt eine besondere Note, wenn die Salatschüssel vorher mit einer Knoblauchzehe ausgerieben wird.

Zutaten für 4 Personen:
500 g Weißkohl
Salz
3 Eßl. Maiskeimöl
2 Eßl. Essig
1/2 Eßl. Zucker
2 mittelgroße Äpfel
1 mittelgroßer Knollensellerie
1 Eßl. Honig
Saft von 1/2 Zitrone

Gut vorzubereiten

Pro Portion etwa:
850 kJ/200 kcal
3 g Eiweiß · 12 g Fett
21 g Kohlenhydrate

- Zubereitungszeit: etwa 45 Minuten

1. Den Weißkohl putzen, vierteln und dabei den Strunk entfernen. Den Kohl in Streifen schneiden, salzen und mit der Hand etwa 10 Minuten kneten. Den Saft, der dabei entsteht, zwischendurch abgießen.

2. Das Öl, den Essig und den Zucker verrühren, über den Kohl gießen und etwa 30 Minuten ziehen lassen.

3. Inzwischen die Äpfel schälen, halbieren, vom Kerngehäuse befreien und in dünne Scheiben schneiden.

4. Den Knollensellerie schälen, habieren, die Hälften in Scheiben und die Scheiben in dünne Stifte schneiden.

5. Die Weißkohlstreifen mit den Apfelscheiben und den Selleriestiften vermischen. Mit dem Honig süßen und mit dem Zitronensaft beträufeln. Alles gut vermischen und den Salat in einer Schüssel servieren.

Kalter Hähnchenbraten

Schareni zipljonok

Zutaten für 4 Personen:
1 frisches Brathähnchen
(etwa 1000 g)
Salz
100 g saure Sahne
100 g Butter oder Margarine
1 Bund Schnittlauch
1 Bund Radieschen

Gelingt leicht

Pro Portion etwa:
2000 kJ/480 kcal
40 g Eiweiß · 34 g Fett
2 g Kohlenhydrate

- Zubereitungszeit: etwa 1 Stunde

1. Das Hähnchen kalt waschen und mit Küchenpapier trockentupfen. Die Brust mit einem scharfen Messer oder einer

Geflügelschere der Länge nach aufschneiden.

2. Das Hähnchen innen und außen mit Salz einreiben.

3. Das Hähnchen aufklappen und plattdrücken. Die saure Sahne glattrühren und das Hähnchen damit bestreichen. Die Flügel nach hinten klappen und andrücken.

4. Die Butter oder die Margarine in einer Pfanne erhitzen. Das Hähnchen darin bei mittlerer Hitze zugedeckt von beiden Seiten braun und weich braten. Dann aus der Pfanne nehmen und erkalten lassen.

5. Den Schnittlauch und die Radieschen waschen. Den Schnittlauch trockenschütteln und in Röllchen schneiden. Die Radieschen putzen, dabei die kleinen grünen Blätter nicht entfernen. Die Radieschen und den Schnittlauch auf einem flachen Teller verteilen.

6. Das Hähnchen in kleinere Stücke schneiden. Die Hähnchenstücke auf dem Schnittlauch und den Radieschen verteilen und kalt servieren.

Im Bild oben:
Weißkohlsalat mit Äpfeln und Sellerie
Im Bild unten: Kalter Hähnchenbraten

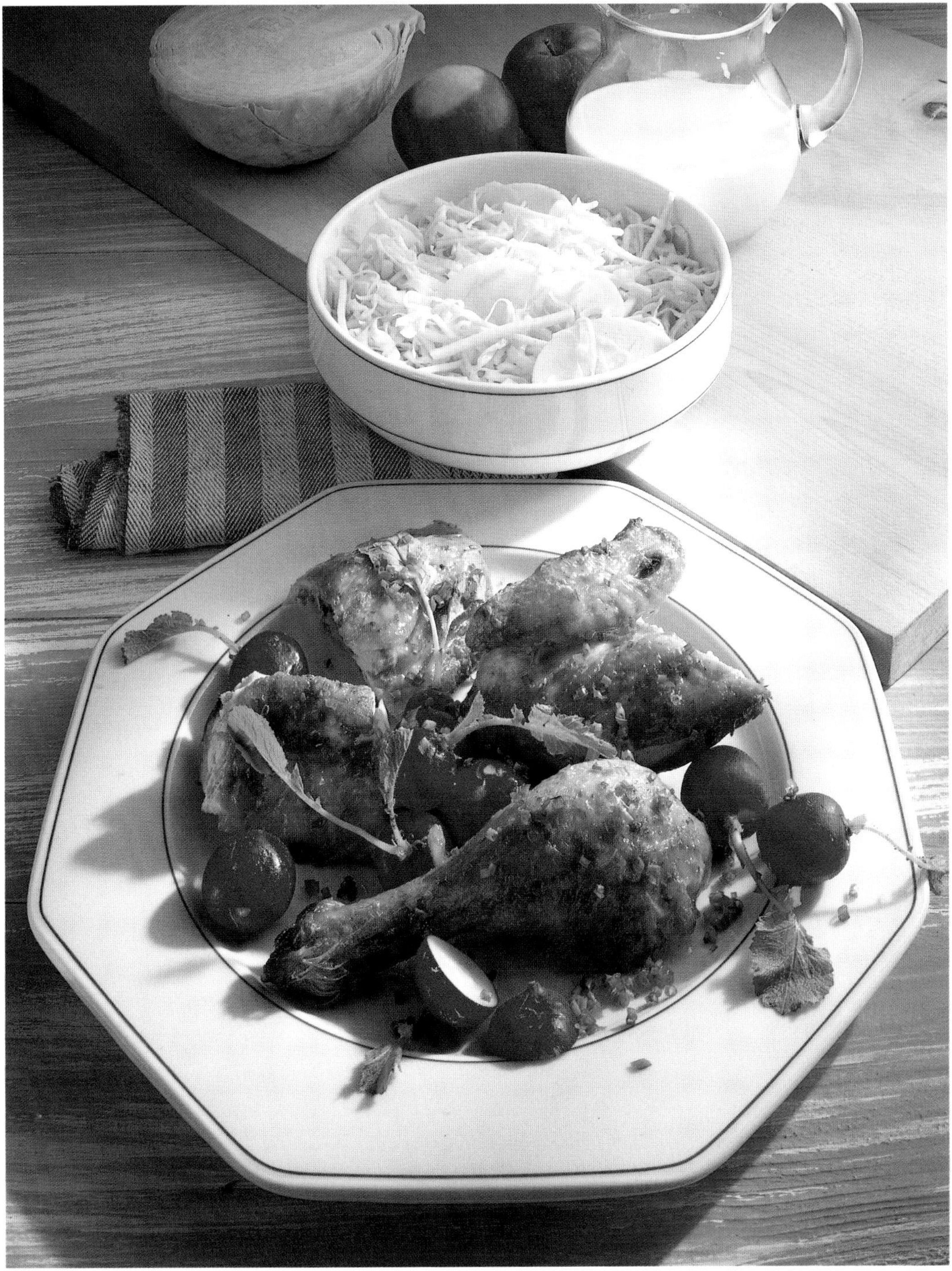

Sauerampfersuppe

Zeljonie stschi

Zutaten für 4 Personen:
500 g Rinderbrust
5 schwarze Pfefferkörner
2 Lorbeerblätter, Salz
2 Zwiebeln
1 Petersilienwurzel · 1 Möhre
1 kleiner Knollensellerie
2 Eßl. Butter · 1 Eßl. Mehl
400 g Spinat
200 g Sauerampfer
5 Knoblauchzehen
1 Eßl. Dill, frisch gehackt
3 hartgekochte Eier
100 g saure Sahne

Berühmtes Rezept

Pro Portion etwa:
170 kJ/400 kcal
36 g Eiweiß · 24 g Fett
11 g Kohlenhydrate

- Zubereitungszeit: etwa
  2 1/2 Stunden

1. Das Fleisch in etwa 2 l kaltem Wasser aufkochen, dabei den Schaum abschöpfen. Mit den Pfefferkörnern, den Lorbeerblättern und Salz zugedeckt in etwa 2 Stunden garen. Das Fleisch herausnehmen. Die Brühe durch ein Sieb gießen.

2. Die Zwiebeln würfeln. Die Petersilienwurzel, die Möhre und den Knollensellerie kleinschneiden. Die Butter erhitzen und alles darin anschwitzen. Mit dem Mehl bestäuben und etwa 2 Minuten rösten. Die Brühe unterrühren und etwa 5 Minuten kochen.

3. Den Spinat und den Sauerampfer waschen, entstielen, kleinschneiden und in der Brühe 10–15 Minuten kochen.

4. Das Fleisch klein würfeln. Den Knoblauch schälen, hakken, mit dem Dill zur Brühe geben und etwa 2 Minuten kochen. Mit Salz würzen. 1 Ei kleinschneiden und mit den Fleischwürfeln untermischen.

5. Die saure Sahne auf 4 Teller verteilen, in die Mitte ein halbes Ei legen und die Suppe darüber gießen.

Salzgurkensuppe

Rassolnik

Zutaten für 4 Personen:
1 frisches Suppenhuhn
(etwa 1000 g)
1 Möhre · 3 Eßl. Reis
1 Zwiebel · 1 Stange Porree
1 Petersilienwurzel mit Blätter
3 mittelgroße Kartoffeln
2 Salzgurken mit Lauge
Salz · 3 Eßl. Butter
5 schwarze Pfefferkörner
2 Lorbeerblätter
1 Eßl. Estragon, frisch gehackt
1 Eßl. Bohnenkraut, frisch gehackt
2 Knoblauchzehen
1 Bund Dill, frisch gehackt
125 g Sahne

Spezialität aus Kiew

Pro Portion etwa:
3400 kJ/810 kcal
40 g Eiweiß · 61 g Fett
24 g Kohlenhydrate

- Zubereitungszeit: etwa
  2 Stunden

1. Das Huhn waschen und 11/2 l Wasser etwa 1 Stunde garen.

2. Die Möhre in kleine Würfel schneiden. Den Reis waschen.

3. Die Zwiebel würfeln. Den Porree und die Petersilienwurzel waschen und kleinschneiden. Die Kartoffeln schälen und in Stücke schneiden. Die Salzgurken in Scheiben schneiden.

4. Das Huhn aus der Brühe nehmen. Die Brühe durch ein Sieb seihen und salzen. Das Fleisch von den Knochen lösen, kleinschneiden und wieder in die Brühe geben.

5. Die Hälfte der Butter erhitzen. Die Möhre, die Zwiebel, den Porree und die Petersilienwurzel darin dünsten. Das Gemüse, den Reis, die Kartoffeln, die Pfefferkörner und die Lorbeerblätter in der Brühe etwa 20 Minuten kochen.

6. Die Salzgurken, die Gurkenlauge, das Estragon, das Bohnenkraut und das Fleisch dazugeben und weitere 8 Minuten kochen.

7. Den Knoblauch schälen, in einem Mörser mit Salz und der restlichen Butter zerreiben und mit der Sahne unter die Suppe rühren. Mit Dill bestreuen.

Im Bild oben: Sauerampfersuppe
Im Bild unten: Salzgurkensuppe

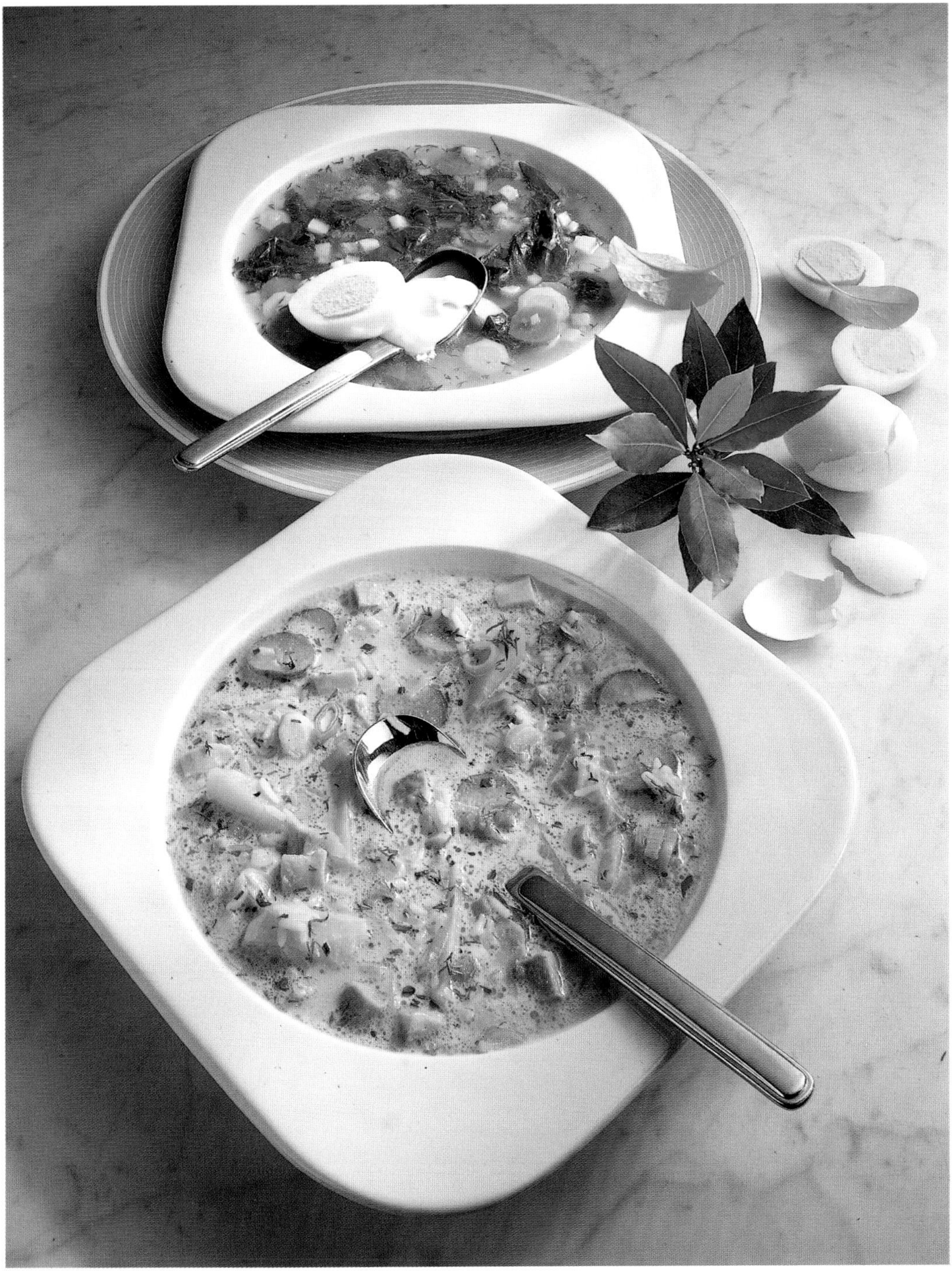

Nudelsuppe mit Pilzen

Lapscha

Zutaten für 4 Personen:
250 g Mehl
2 Eier · Salz
4 Eßl. Wasser
100 g Steinpilze oder Champignons
2 Zwiebeln · 1 Möhre
2 Eßl. Butter
1 Petersilienwurzel
3 Kartoffeln
3 schwarze Pfefferkörner
2 Lorbeerblätter
2 Knoblauchzehen
1 Bund Dill, frisch gehackt

Gut vorzubereiten

Pro Portion etwa:
1700 kJ/400 kcal
12 g Eiweiß · 11 g Fett
63 g Kohlenhydrate

* Zubereitungszeit: etwa
  1 1/2 Stunden

1. Für die Nudeln das Mehl auf ein Backbrett geben. In die Mitte eine Vertiefung drücken.

2. Die Eier, Salz und das Wasser in die Vertiefung geben. Alles zu einem festen Teig kneten und 10 Minuten ruhen lassen.

3. Die Pilze putzen und kleinschneiden. Die Zwiebeln schälen und würfeln. Die Möhre schälen und kleinschneiden.

4. Den Teig mit einem Nudelholz etwa 1 mm dünn ausrollen, mit Mehl bestäuben und zusammenrollen. Die Teigrolle in 1–2 mm breite Streifen

schneiden. Die Streifen etwa 1/2 Stunde trocknen lassen.

5. Die Butter erhitzen und die Pilze, die Zwiebel und die Möhre darin etwa 10 Minuten braten.

6. Die Petersilienwurzel kleinschneiden. Die Kartoffeln schälen und in Viertel schneiden.

7. Etwa 1 1/2 l Wasser mit Salz zum Kochen bringen. Das gedünstete Gemüse, die Petersilienwurzel und die Kartoffeln darin etwa 20 Minuten kochen.

8. Die Nudeln, die Pfefferkörner und die Lorbeerblätter dazugeben und alles etwa 15 Minuten kochen.

9. Den Knoblauch schälen, kleinschneiden und mit dem Dill in die Teller geben. Die Suppe darauf verteilen.

Kohlsuppe

Borschtsch

Zutaten für 4 Personen:
400 g Ochsenschwanz · Salz
1 große rote Bete
1 mittelgroße Möhre
1 kleine Zwiebel
200 g Weißkohl
1–2 Eßl. Butter
1 Eßl. Essig · 1 Eßl. Zucker
1 Lorbeerblatt
1–2 mittelgroße Tomaten
schwarzer Pfeffer, frisch gemahlen
4 Teel. saure Sahne

Braucht etwas Zeit

Pro Portion etwa:
1500 kJ/360 kcal
23 g Eiweiß · 23 g Fett
14 g Kohlenhydrate

* Zubereitungszeit: etwa
  3 Stunden

1. Das Fleisch waschen, trockentupfen und in 2 l Wasser mit Salz bei schwacher Hitze aufkochen. Den Schaum abschöpfen, bei mittlerer Hitze etwa 2 Stunden ziehen lassen. Das Fleisch herausnehmen.

2. Die rote Bete, die Möhre und die Zwiebel schälen und in Würfel schneiden. Den Weißkohl putzen und in dünne Streifen schneiden.

3. Die Butter erhitzen und das Gemüse darin dünsten. Etwa 1/8 l Brühe dazugeben und alles etwa 10 Minuten bei schwacher Hitze kochen. Den Essig, den Zucker und das Lorbeerblatt hinzufügen. Die restliche Brühe durch ein Sieb dazugießen und alles etwa 30 Minuten kochen.

4. Die Tomaten mit heißem Wasser überbrühen, häuten und kleinschneiden. Zum Borschtsch geben und diesen mit Salz und Pfeffer würzen.

5. Das Fleisch kleinschneiden und ebenfalls zur Suppe geben. Den Borschtsch in die Teller füllen und je einen Löffel saure Sahne in die Mitte geben.

Im Bild oben: Nudelsuppe mit Pilzen
Im Bild unten: Kohlsuppe

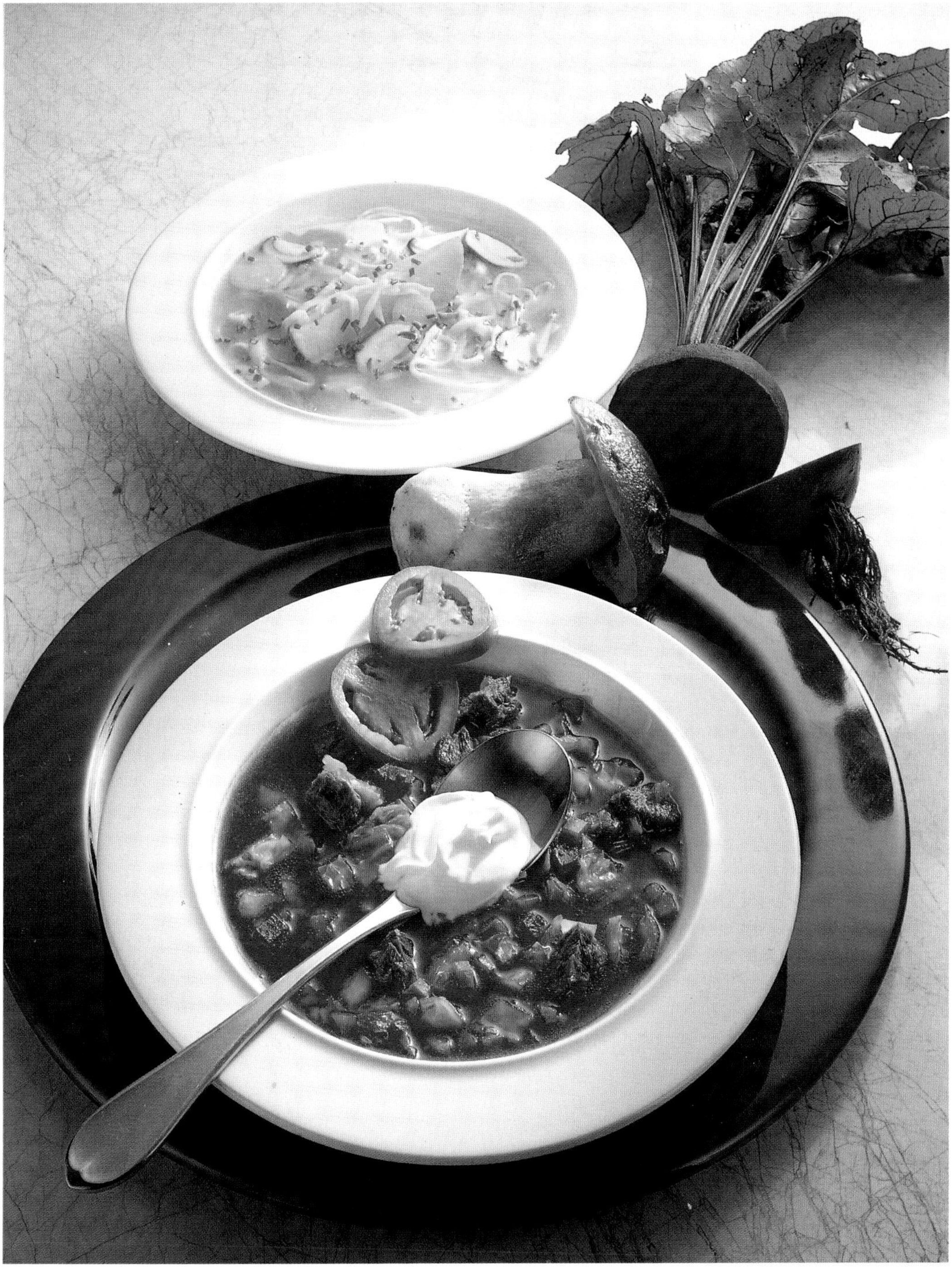

Soljanka mit Fleisch

Soljanka s mjasom

Zutaten für 4 Personen:
400 g Rinderbrust
200 g Markknochen
1 Lorbeerblatt
100 g gekochter Schinken
100 g Salami
100 g magerer geräucherter
Bauchspeck
100 g Wiener Würstchen
300 g Gewürzgurken
3 kleine Zwiebeln
100 g Butter · 2 EßI. Tomatenmark
2 EßI. Kapern · Salz
1 Zitrone
1 EßI. Dill, frisch gehackt
100 g Oliven
150 g saure Sahne

Berühmtes Rezept

Pro Portion etwa:
3800 kJ/900 kcal
54 g Eiweiß · 74 g Fett
8 g Kohlenhydrate

- Zubereitungszeit: etwa
  2 1/2 Stunden

1. Das Fleisch, die Markknochen und das Lorbeerblatt in 1 1/2 l Wasser etwa 2 Stunden zugedeckt bei schwacher Hitze kochen. Das Fleisch herausnehmen und die Brühe durch ein Sieb seihen.

2. Den Schinken, die Salami und den Bauchspeck in Streifen schneiden, die Würstchen und die Gurken in Würfel.

3. Die Zwiebeln schälen und kleinschneiden. Die Butter erhit-

zen und die Zwiebeln darin glasig dünsten. Die Schinken-, die Bauchspeck-, die Salamistreifen und die Würstchenwürfel hinzufügen. Etwa 5 Minuten darin anschwitzen. Das Tomatenmark dazugeben und mit der Brühe auffüllen.

4. Die Kapern, Gurkenwürfel und Salz hinzufügen und alles etwa 10 Minuten kochen. Das Fleisch würfeln und mit den Markknochen dazugeben.

5. Die Zitrone schälen und in Scheiben schneiden. Die Suppe mit den Oliven, den Zitronenscheiben, der sauren Sahne und dem Dill garnieren.

Kalte Kwaßsuppe

Okroschka

Zutaten für 4 Personen:
1 rote Bete · 1 Möhre
2 Kartoffeln · 2 Eier
1 Salatgurke
1 Bund Schnittlauch
Salz · 1 Teel. Zucker
1 EßI. Senf
4 EßI. saure Sahne
1 l Kwaß (Rezept Seite 60),
ersatzweise Altbier, Buttermilch
oder Kefir
1 Bund Dill, frisch gehackt
4 Eiswürfel

Für Gäste

Pro Portion etwa:
860 kJ/200 kcal
15 g Eiweiß · 6 g Fett
23 g Kohlenhydrate

- Zubereitungszeit: etwa
  3 1/2 Stunden (davon etwa
  2 Stunden Kühlzeit)

1. Die rote Bete und die Möhre schälen und in Wasser garen. Dann abkühlen lassen.

2. Die Kartoffeln waschen und mit Schale in etwa 30 Minuten garen. Dann abkühlen lassen.

3. Die Eier in etwa 10 Minuten hart kochen und abkühlen lassen. Die Eier schälen, halbieren und die Eigelbe herauslösen. Die Eiweiße kleinschneiden.

4. Die Kartoffeln pellen, und die Gurke schälen. Die Kartoffeln, die Gurke, die rote Bete und die Möhre würfeln.

5. Den Schnittlauch waschen, trockenschütteln und in feine Röllchen schneiden. Die Schnittlauchröllchen mit Salz im Mörser zerreiben, bis Saft austritt.

6. Die Eigelbe mit Salz, dem Zucker, dem Senf, dem Schnittlauch und der sauren Sahne verrühren. Den Kwaß unterrühren.

7. Die Kartoffel-, die rote Bete-, die Möhren-, die Gurkenwürfel und die Eiweiße dazugeben. Alles zugedeckt etwa 2 Stunden kalt stellen.

8. Die Suppe in tiefe Teller füllen, mit Dill bestreuen und je 1 Eiswürfel dazugeben.

Im Bild oben: Soljanka mit Fleisch
Im Bild unten: Kalte Kwaßsuppe

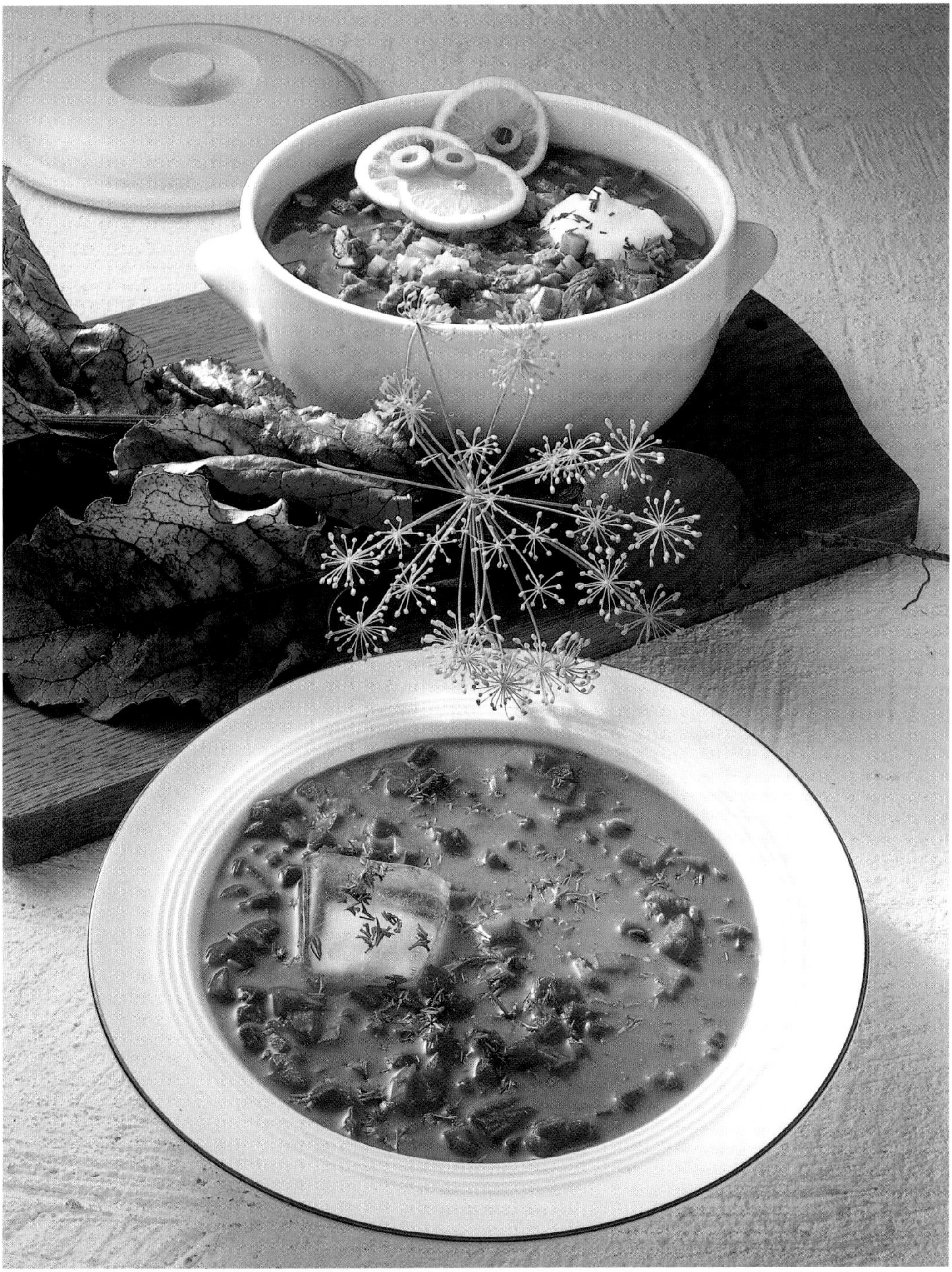

Fischsuppe mit Kaviar

Kalja

Zutaten für 4 Personen:
4 Kartoffeln
2 Zwiebeln
1 Möhre
1 Petersilienwurzel
1 Stange Porree
Salz
2 Lorbeerblätter
8 schwarze Pfefferkörner
1 Glas Gurkenwasser
2 Salzgurken
1 1/2 kg Knorpelfisch oder Heilbutt, küchenfertig
1 Eßl. Estragon, frisch gehackt
1 Eßl. Dill, frisch gehackt
1/2 Zitrone
30 g Kaviar

Raffiniert

Pro Portion etwa:
2100 kJ/500 kcal
82 g Eiweiß · 10 g Fett
22 g Kohlenhydrate

• Zubereitungszeit: etwa 1 Stunde

1. Die Kartoffeln schälen und vierteln. Die Zwiebeln schälen und würfeln. Die Möhre schälen, die Petersilienwurzel putzen und beides in Scheiben schneiden. Den Porree putzen, waschen und in Stücke schneiden. 1 1/2 l Wasser zum Kochen bringen. Alles zusammen mit Salz, den Lorbeerblättern und den zerdrückten Pfefferkörnern in das kochende Wasser geben und bei schwacher Hitze etwa 20 Minuten offen kochen. Zwischendurch den Schaum abschöpfen.

2. Das Gurkenwasser durch ein Sieb seihen, aufkochen, dann mit der Brühe mischen.

3. Die Salzgurken kleinschneiden und in die Kalja geben.

4. Den Fisch waschen, in Stücke schneiden und in die Brühe geben. Alles etwa 15 Minuten bei schwacher Hitze kochen.

5. Den Dill und den Estragon in die Suppe geben. Die Zitrone schälen und in Scheiben schneiden. Jede Scheibe vierteln. Die Zitronenviertel in die Kalja geben. Den Kaviar hinzufügen und alles mischen. Den Topf von der Kochstelle nehmen und die Suppe noch 5–8 Minuten ziehen lassen.

Fischsuppe

Ucha

Zutaten für 4 Personen:
2 Kartoffeln · 2 Zwiebeln
1 kleine Möhre
1 Petersilienwurzel · 1 Pastinacke
1 Teel. Salz · 2 Lorbeerblätter
6 schwarze Pfefferkörner
1 1/2 kg Fisch (Sterlet, Seelachs oder Zander), küchenfertig
1 Eßl. Estragon, frisch gehackt
1/2 Flasche Sekt
1 Zitrone
1 Eßl. Dill, frisch gehackt

Für Gäste

Pro Portion etwa:
1900 kJ/450 kcal
71 g Eiweiß · 3 g Fett
14 g Kohlenhydrate

• Zubereitungszeit: etwa 1 Stunde

1. Die Kartoffeln schälen und vierteln. Die Zwiebeln schälen und würfeln. Die Möhre, die Petersilienwurzel und die Pastinacke schälen und in Scheiben schneiden.

2. Das Gemüse und das Salz in 1 3/4 l Wasser aufkochen und bei schwacher Hitze offen etwa 20 Minuten kochen. Zwischendurch den Schaum abschöpfen.

3. Die Lorbeerblätter und die Pfefferkörner dazugeben und etwa 5 Minuten kochen.

4. Den Fisch waschen und in Stücke schneiden. Die Fischstücke in die Brühe geben und alles bei schwacher Hitze weitere 15–20 Minuten kochen.

5. Den Estragon in die Suppe geben. Den Topf mit der Suppe von der Kochstelle nehmen und zugedeckt noch 8–10 Minuten stehen lassen.

6. Den Sekt separat erwärmen, dann mit der Suppe mischen.

7. Die Zitrone schälen, in Scheiben schneiden und jede Scheibe bis zur Mitte aufschneiden. Die Fischstücke in die Teller geben, mit Dill bestreuen und die Suppe darauf verteilen. Mit Zitronenscheiben garnieren.

Im Bild oben: Fischsuppe mit Kaviar
Im Bild unten: Fischsuppe

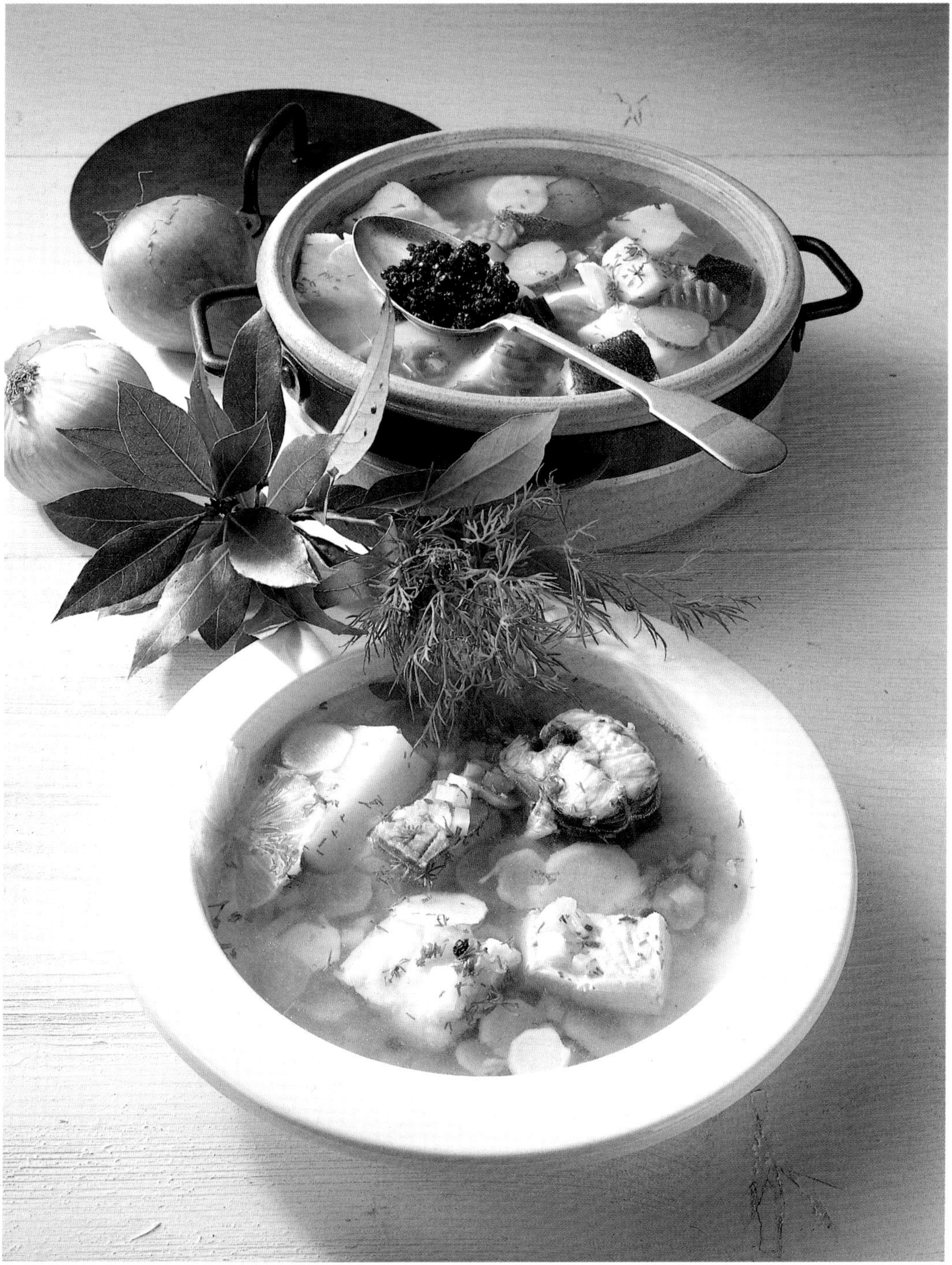

Bœuf Stroganoff

Mjaso po-Stroganowski

Diese berühmte Spezialität trägt den Namen des russischen Diplomaten Graf Grigorij Alexandrowitsch Stroganow (1770–1857). Als das Gericht zum ersten Mal für die Gäste des Grafen zubereitet wurde, fand es sensationellen Anklang.

Zutaten für 4 Personen:
1 kg Rinderfilet
3 mittelgroße Zwiebeln
300 g Champignons
100 g Sonnenblumenöl
Salz
schwarzer Pfeffer, frisch gemahlen
200 g Sahne
2 Eßl. scharfer Senf
4 Gewürzgurken

Spezialität aus Leningrad

Pro Portion etwa:
3000 kJ/710 kcal
53 g Eiweiß · 52 g Fett
7 g Kohlenhydrate

- Zubereitungszeit: etwa
  35 Minuten

1. Das Fleisch abwaschen, mit Küchenpapier trockentupfen und in Streifen schneiden.

2. Die Zwiebeln schälen und in kleine Würfel schneiden.

3. Die Champignons kurz waschen, wenn nötig putzen und in Scheiben schneiden.

4. Das Öl in einer Pfanne erhitzen. Die Zwiebeln darin glasig braten. Die Fleischstreifen hinzufügen und in 2–3 Minuten kräftig anbraten. Die Champignons hinzufügen, alles mit Salz und Pfeffer würzen und etwa 3 Minuten schmoren lassen.

5. Inzwischen die Sahne und den Senf verrühren. Die Gewürzgurken in Streifen schneiden. Die Sahne-Senf-Mischung zum Fleisch geben, umrühren und kurz erwärmen. Das Bœuf Stroganoff auf vorgewärmten Tellern anrichten und mit den Gurkenstreifen bestreuen. Dazu passen Strohkartoffeln.

Panierte Hähnchenbrustfilets

Kotleti po-kiewski

Zutaten für 4 Personen:
8 Hähnchenbrustfilets (je 190 g)
Salz
150 g Butter
2 Eier
80 g Paniermehl
Zum Fritieren: Öl

Spezialität aus Kiew

Pro Portion etwa:
3400 kJ/810 kcal
52 g Eiweiß · 61 g Fett
15 g Kohlenhydrate

- Zubereitungszeit: etwa
  40 Minuten

1. Die 4 größeren Hähnchenbrustfilets klopfen. Mit Salz würzen. In der Mitte der Hähnchenbrustfilets etwa 100 g Butter verteilen. Die kleineren Filets darauf legen. Den Rand des jeweils großen Filets an das kleinere drücken.

2. Die Eier in einem tiefen Teller verquirlen. Das Paniermehl auf einen anderen Teller geben. Das Fleisch erst in Ei, dann in dem Paniermehl wenden. Diesen Vorgang noch einmal wiederholen.

3. Den Backofen auf 200° vorheizen. Reichlich Öl in einer Pfanne erhitzen und das Fleisch darin schwimmend etwa 4 Minuten fritieren, bis es rundherum goldbraun ist.

4. Die fritierten Filets noch 1–2 Minuten in den heißen Backofen (Mitte) geben. Inzwischen die restliche Butter zerlassen. Die Hähnchenbrustfilets mit der Butter überziehen und mit Bratkartoffeln servieren. Eventuell noch mit einer Zitronenscheibe garnieren.

Bild oben: Bœuf Stroganoff
Bild unten: Panierte Hähnchenbrustfilets

Schweine-kamm paniert

Scharenaja swinina

Zutaten für 4 Personen:
4 Scheiben Schweinekamm
(je etwa 150 g)
4 Knoblauchzehen
Salz
schwarzer Pfeffer, frisch gemahlen
1 Ei
60 g Mehl
60 g Paniermehl
Zum Braten: Öl

Schnell

Pro Portion etwa:
2300 kJ/550 kcal
33 g Eiweiß · 37 g Fett
23 g Kohlenhydrate

• Zubereitungszeit: etwa
  40 Minuten

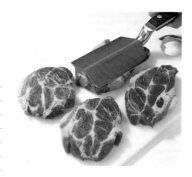

1. Das Fleisch waschen und mit Küchenpapier trockentupfen. Jede Scheibe leicht klopfen. Den Knoblauch schälen und durch die Presse drücken oder auf der Reibe zerreiben.

2. Das Fleisch mit dem Knoblauch einreiben, mit Salz und Pfeffer würzen. Das Fleisch etwa 20 Minuten zugedeckt ziehen lassen.

3. Das Ei in einem tiefen Teller verquirlen. Jedes Schnitzel zuerst in dem Mehl, dann in dem Ei und zuletzt in dem Paniermehl wenden.

Tip!

Besonders pikant wird das Gericht, wenn Sie 6 Gewürzgurken und 1 mittelgroße Zwiebel kleinschneiden. Beides mischen, mit Salz und Pfeffer würzen und auf das gebratene Fleisch streichen.

4. Öl in einer Pfanne erhitzen und die Schnitzel darin bei mittlerer Hitze von beiden Seiten goldbraun braten.

Kalbsleber mit Äpfeln

Petschen s jablokami

Zutaten für 4 Personen:
400 g Kalbsleber, vom Metzger in etwa 1 cm breite Scheiben geschnitten
100 g Mehl
4 große Äpfel
3 große Zwiebeln
Salz
schwarzer Pfeffer, frisch gemahlen
Majoran
Zum Braten: Öl

Spezialität aus Nowgorod

Pro Portion etwa:
1600 kJ/380 kcal
23 g Eiweiß · 17 g Fett
35 g Kohlenhydrate

- Zubereitungszeit: etwa 40 Minuten

Tip!

Statt Kalbsleber können Sie auch sehr gut Rinderleber verwenden. Mit Kartoffelpüree, gerösteten Zwiebeln und Gewürzgurkenstreifen schmeckt die Leber ausgezeichnet.

1. Die Leber waschen, mit Küchenpapier trockentupfen, von Haut und Sehnen befreien. In dem Mehl wälzen.

2. Die Äpfel und die Zwiebeln schälen. Die Äpfel vom Kerngehäuse befreien. Die Äpfel in etwa 1/2 cm breite und die Zwiebeln in dünne Ringe schneiden.

3. Öl in einer Pfanne erhitzen. Zuerst die Apfelringe von beiden Seiten braten, dann herausnehmen. Die Zwiebeln bei starker Hitze goldgelb rösten. Beides warm halten. Erneut Öl erhitzen und die Leber darin von beiden Seiten kurz bei mittlerer Hitze anbraten. Die Leber soll innen noch rosa sein.

4. Die Leber mit Salz, Pfeffer und Majoran würzen und auf Teller geben. Die Zwiebeln und die Apfelringe darauf oder rundherum verteilen.

Schweine-fleisch à la Borissow

Scharkoje po-borissowski

Dieses Rezept erinnert mit seinem Namen an die weißrussische Stadt Borissow, wo es auch kreiert wurde.

Zutaten für 4 Personen:
600 g Schweineschnitzel
2 mittelgroße Zwiebeln
4 große Kartoffeln
4 große Knoblauchzehen
6 mittelgroße Tomaten
1 Eßl. Dill, frisch gehackt
1 Eßl. Petersilie, frisch gehackt
Salz

Gelingt leicht

Pro Portion etwa:
1400 kJ/330 kcal
35 g Eiweiß · 13 g Fett
21 g Kohlenhydrate

• Zubereitungszeit: etwa
  1 1/2 Stunden

1. Das Schweinefleisch kalt abwaschen, mit Küchenpapier trockentupfen, in Würfel schneiden und in einen Bräter legen.

2. Die Zwiebeln, die Kartoffeln und den Knoblauch schälen, alles kleinschneiden, und die Zutaten auf dem Fleisch verteilen.

3. Die Tomaten waschen, achteln und dabei die Stielansätze entfernen. Die Tomatenachtel zum Fleisch geben. Den Backofen auf 200° vorheizen.

4. Den Dill und die Petersilie über das Fleisch und die Tomaten streuen.

5. Alles mit Salz würzen. Den Deckel auflegen, und das Fleisch im Backofen (Mitte) bei 200° in etwa 50 Minuten schmoren. Wenn nötig, zwischendurch mit etwas Wasser aufgießen.

Hirschrücken

Scharenaja olenina

Zutaten für 4 Personen:
Für die Marinade:
1 Zwiebel
1 Möhre
1 kleiner Knollensellerie
1 Petersilienwurzel
12 Pimentkörner
6 Lorbeerblätter
6 Nelken
200 ml Weinessig
1/2 l Wasser
5 Knoblauchzehen
1 kg Hirschrücken
1/2 Teel. schwarzer Pfeffer, frisch gemahlen
1 Teel. Salz
100 g durchwachsener Bauchspeck

Braucht etwas Zeit

Pro Portion etwa:
2000 kJ/480 kcal
56 g Eiweiß · 25 g Fett
6 g Kohlenhydrate

• Marinierzeit: etwa 2 Tage
• Zubereitungszeit: etwa
  3 Stunden

1. Für die Marinade die Zwiebel, die Möhre und den Sellerie schälen und die Peter-silienwurzel putzen. Alles kleinschneiden und mit den Pimentkörnern, den Lorbeerblättern, den Nelken in einen Topf geben. Mit dem Essig und dem Wasser übergießen und aufkochen.

2. Den Knoblauch schälen, kleinschneiden, in die Marinade streuen. Die Marinade abkühlen lassen.

3. Das Fleisch waschen, trockentupfen und die Haut entfernen. Mit Salz und Pfeffer einreiben.

4. Das Fleisch in die Marinade legen und etwa 2 Tage kalt stellen, dabei täglich wenden. Dann das Fleisch aus der Marinade nehmen.

5. Den Bauchspeck in dünne Streifen schneiden. Den Hirschbraten mit der Hälfte der Speckstreifen spicken. Die restlichen Speckstreifen obenauf legen. Den Backofen auf 250° vorheizen. Den Braten in die Fettpfanne legen.

6. Den Braten im Backofen (unten) zunächst bei 250° etwa 15 Minuten braten, damit das Fleisch eine Kruste bekommt. Dann bei 200° etwa 1 1/2 Stunden braten, dabei alle 10 Minuten das Fleisch mit dem austretenden Fleischsaft begießen. Den Braten auf einer Fleischplatte servieren.

Im Bild oben: Hirschrücken
Im Bild unten:
Schweinefleisch à la Borissow

Gefüllte rote Beten

Farschirowannaja swjokla

Zutaten für 4 Personen:
4 mittelgroße rote Beten
1 Eßl. Essig
100 g Champignons
2 mittelgroße Zwiebeln
100 g Butter
200 g Rinderhackfleisch
Salz
schwarzer Pfeffer, frisch gemahlen
100 ml Wasser
3 Eßl. Öl

Gelingt leicht

Pro Portion etwa:
1900 kJ/450 kcal
14 g Eiweiß · 39 g Fett
11 g Kohlenhydrate

• Zubereitungszeit: etwa
  2 Stunden

1. Die roten Beten schälen, in einen Topf mit kaltem Wasser geben. Den Essig hinzufügen und in etwa 45 Minuten garen. Dann herausnehmen und abkühlen lassen.

2. Die Champignons waschen, wenn nötig putzen und kleinschneiden. Die Zwiebeln schälen und fein würfeln. Die Hälfte der Butter in einer Pfanne erhitzen, die Champignons und die Zwiebeln darin etwa 10 Minuten braten.

3. Das Hackfleisch mit der Champignon-Zwiebel-Mischung mischen und mit Salz und Pfeffer würzen. Den Backofen auf 220° vorheizen.

4. Von den roten Beten jeweils einen Deckel abschneiden und die Knollen mit einem Löffel aushöhlen.

5. Mit der Füllung füllen, den Deckel aufsetzen und die roten Beten mit dem Wasser und dem Öl in einen Bräter geben. Die restliche Butter in Flöckchen darauf verteilen.

6. Die roten Beten zugedeckt im Backofen (Mitte) in etwa 55 Minuten garen.

Rinderbraten mit Kwaß

Gowjadina scharenaja s kwasom

Zutaten für 4 Personen:
800 g Rindfleisch (Mittelrippe)
2 Zwiebeln
1 große Möhre
1 Petersilienwurzel oder 1 kleines
Stück Knollensellerie
1/2 Teel. gemahlener Ingwer
Salz
2 Lorbeerblätter
10 Pfefferkörner
1/2 l Kwaß (Rezept Seite 60) oder
Altbier
80 g saure Sahne

Für Gäste

Pro Portion etwa:
2300 kJ/550 kcal
40 g Eiweiß · 350 g Fett
5 g Kohlenhydrate

• Zubereitungszeit: etwa
  1 1/2 Stunden

1. Das Fleisch waschen, mit Küchenpapier trockentupfen und von Fett und Sehnen befreien. Das Fett kleinschneiden.

2. Einen Bräter heiß werden lassen und das Fett darin anbraten. Das Fleisch dazugeben und bei starker Hitze von allen Seiten kräftig anbraten. Den Backofen auf 200° vorheizen.

3. Die Zwiebeln schälen und würfeln. Die Möhre und die Petersilienwurzel oder den Knollensellerie putzen und ebenfalls kleinschneiden. Alles zusammen mit dem Ingwer, Salz, den Lorbeerblättern und den Pfefferkörnern zum Fleisch geben. Etwa 1/8 l Kwaß oder Altbier dazugießen und zugedeckt im Backofen (Mitte) in etwa 1 Stunde garen. Dabei immer wieder mit dem restlichen Kwaß oder Altbier aufgießen.

4. Den Bräter aus dem Ofen nehmen, das Gericht noch etwa 10 Minuten ziehen lassen, dann das Fleisch herausnehmen und quer zur Faser in Scheiben schneiden. Das Fleisch anrichten und warm halten.

5. Den Bratenfond abseihen, mit der sauren Sahne verrühren und über das Fleisch gießen. Dazu passen Brat- oder Petersilienkartoffeln, Tomaten- und Gurkenscheiben.

Im Bild oben: Rinderbraten mit Kwaß
Im Bild unten: Gefüllte rote Beten

Krebse in Sahne und Wein

Raki w smetane

Zutaten für 4 Personen:
16–20 Krebse
2 Zwiebeln
1 Möhre
Salz
1 Lorbeerblatt
1 Eßl. Petersilie, frisch gehackt
1 Eßl. Selleriegrün, frisch gehackt
1 Eßl. Dill, frisch gehackt
1/4 l trockener Weißwein
100 g Crème fraîche

Gelingt leicht

Pro Portion etwa:
760 kJ/180 kcal
21 g Eiweiß · 3 g Fett
7 g Kohlenhydrate

- Zubereitungszeit: etwa
  45 Minuten

1. Die Krebse abwaschen. Die Zwiebeln und die Möhre schälen. Die Möhre in Scheiben schneiden.

2. Etwa 2 l Salzwasser aufkochen, die Zwiebeln, die Möhrenscheiben, das Lorbeerblatt und die Krebse darin etwa 10 Minuten kochen lassen.

3. Die Petersilie, das Selleriegrün und den Dill zu den Krebsen geben. Den Deckel auflegen und die Krebse noch etwa 5 Minuten ziehen lassen. Dann die Krebse herausnehmen, in einer Schüssel anhäufen und warm stellen.

4. Den Weißwein dazugießen und weitere 10 Minuten bei schwacher Hitze garen. Den Topf von der Kochstelle nehmen, die Crème fraîche untermischen und noch etwa 5 Minuten ziehen lassen.

5. Die Sauce durch ein Sieb in eine Sauciere gießen und getrennt zu den Krebsen servieren. Dazu passen Pellkartoffeln und Salat.

Heilbutt mit Champignons

Paltus s schampinjonami

Zutaten für 4 Personen:
4 mittelgroße Zwiebeln
300 g Champignons oder andere eßbare Pilze
250 g Gewürzgurken
800 g Heilbutt
Salz
weißer Pfeffer, frisch gemahlen
Mehl
Zum Braten: Öl
2 Eßl. Butter
1 Bund Petersilie

Für Gäste

Pro Portion etwa:
1900 kJ/450 kcal
45 g Eiweiß · 26 g Fett
12 g Kohlenhydrate

- Zubereitungszeit: etwa
  50 Minuten

1. Die Zwiebeln schälen und in Ringe schneiden. Die Champignons oder die Pilze waschen, wenn nötig putzen, und in dünne Scheiben schneiden.

Die Gewürzgurken in dünne Streifen schneiden.

2. Den Heilbutt waschen, mit Küchenpapier trockentupfen, in 4 Portionen teilen, mit Salz und Pfeffer würzen. Dann von beiden Seiten in Mehl wenden.

3. Öl in einer Pfanne erhitzen, die Zwiebelringe darin goldgelb rösten und warm stellen. Erneut Öl erhitzen und die Champignons darin dünsten, bis die Flüssigkeit verdampft ist und beiseite stellen.

4. Die Butter zerlassen, die Gurkenstreifen und die Hälfte der Champignons darin kurz erwärmen.

5. In einer Pfanne Öl erhitzen, den Fisch darin bei mittlerer Hitze von beiden Seiten braten, bis er goldgelb ist.

6. Inzwischen die Petersilie waschen, trockenschütteln, ohne die groben Stiele kleinschneiden und unter die Gurken-Champignon-Mischung mischen. In die Mitte eines Tellers die gerösteten Zwiebeln häufen, darauf den Fisch legen und die restlichen Champignons darüber streuen.

7. Die Gurken-Champignon-Mischung rundherum anordnen. Dazu passen Bratkartoffeln.

Im Bild oben:
Krebse in Sahne und Wein
Im Bild unten:
Heilbutt mit Champignons

Karpfen auf Moskauer Art

Karp po-moskowski

Zutaten für 4 Personen:
2 Eßl. Butter
1 Eßl. Mehl
300 g Sahne
1 kleiner Karpfen (etwa 1000 g),
küchenfertig
Salz
Saft von 1/2 Zitrone
3 Gewürzgurken
weißer Pfeffer, frisch gemahlen
1 Bund Dill

Gelingt leicht

Pro Portion etwa:
1700 kJ/400 kcal
39 g Eiweiß · 25 g Fett
8 g Kohlenhydrate

• Zubereitungszeit: etwa
35 Minuten

1. Die Butter in einer Kasserolle zerlassen und das Mehl darin etwa 1 Minute anschwitzen. Unter ständigem Rühren nach und nach die Sahne dazugießen und 2–3 Minuten bei schwacher Hitze köcheln lassen, bis die Masse cremig ist.

2. Den Karpfen unter fließendem kaltem Wasser waschen, in gleich große Stücke schneiden. Mit Salz bestreuen und mit dem Zitronensaft beträufeln. Den Backofen auf 200° vorheizen.

3. Die Gurken kleinschneiden und in die Sauce geben. Die Sauce mit Salz und Pfeffer würzen und in eine Auflaufform gießen. Die Karpfenstücke in die Sauce legen und im Backofen (unten) in etwa 35 Minuten garen, bis die Oberfläche leicht gebräunt ist.

4. Inzwischen den Dill waschen, trockenschütteln und ohne die groben Stiele fein hacken. Den Karpfen mit Dill bestreut servieren.

Omelette mit Bückling

Jaitschniza s seldju

Dieses Gericht wird oft als warmes Frühstück serviert.

Zutaten für 4 Personen:
2 Bücklinge
4 Eier
1 Eßl. Milch
Salz
5 Gewürzgurken
50 g Butter

Preiswert

Pro Portion etwa:
1500 kJ/360 kcal
23 g Eiweiß · 28 g Fett
2 g Kohlenhydrate

- Zubereitungszeit: etwa
  30 Minuten

Variante:
Das Gericht sättigt noch mehr, wenn Sie 100 g Weißbrot ohne Rinde in 10 Eßlöffeln Milch einweichen, dann zerdrücken und mit den Eiern vermischen. Diese Mischung über den Fisch gießen und stocken lassen.

1. Vom Bückling die Haut entfernen. Den Bückling filetieren und die Filets zerkleinern.

2. Die Eier und die Milch in eine Schüssel geben und mit etwas Salz verquirlen.

3. Die Gewürzgurken kleinschneiden und unter die Eier mischen.

4. Die Butter in einer Pfanne zerlassen und das Bücklingsfilet darin anbraten. Die Eier mit den Gurken über den Fisch gießen. Zugedeckt in 3–5 Minuten stocken lassen. Mit frischem Roggenbrot servieren.

Gebratenes Fischfilet

Podscharka

Zutaten für 4 Personen:
800 g Seelachsfilet
Salz
schwarzer Pfeffer, frisch gemahlen
2 mittelgroße Zwiebeln
4 Eßl. Sonnenblumenöl
4 Knoblauchzehen
1 Eßl. Petersilie, frisch gehackt

Schnell

Pro Portion etwa:
1100 kJ/260 kcal
37 g Eiweiß · 12 g Fett
3 g Kohlenhydrate

- Zubereitungszeit: etwa
  35 Minuten

1. Das Seelachsfilet kalt waschen, mit Küchenpapier trockentupfen und in kleine Stücke schneiden. Mit Salz und Pfeffer würzen.

2. Die Zwiebeln schälen und in kleine Würfel schneiden.

3. Das Öl in einem Topf erhitzen. Die Zwiebeln darin andünsten, bis sie glasig sind. Die Fischstücke dazugeben und bei mittlerer Hitze in etwa 15 Minuten garen.

4. Die Knoblauchzehen schälen, fein hacken und mit der Petersilie mischen.

5. Den Fisch auf vorgewärmten Tellern anrichten und mit der Petersilien-Knoblauch-Mischung bestreuen und servieren.

Bojaren-Fisch

Bojarskaja riba

Im Laufe der Geschichte spielten die Bojaren – reicher russischer Adel – eine bedeutende Rolle am Hof des Zaren. Die Tafel der Bojaren war sehr reichhaltig. Oft wurden mehr als 40 Gänge serviert. Aus dieser Zeit stammt dieses Fischrezept.

Zutaten für 4 Personen:
800 g Stör, Wels oder Karpfen,
küchenfertig
300 g Champignons oder Steinpilze
Salz
schwarzer Pfeffer, frisch gemahlen
1/2 l trockener Weißwein
2 Eßl. Butter
1 Eßl. Mehl
2 mittelgroße Fleischtomaten
1 Zitrone
1 Eßl. Dill, frisch gehackt

Raffiniert

Pro Portion etwa:
1900 kJ/450 kcal
39 g Eiweiß · 18 g Fett
9 g Kohlenhydrate

- Zubereitungszeit: etwa
  45 Minuten

1. Den Fisch waschen, mit Küchenpapier trockentupfen und in 4 gleich große Stücke teilen. Die Fischstücke in einen flachen Topf legen. Die Champignons oder die Steinpilze waschen, wenn nötig putzen, kleinschneiden und zum Fisch geben. Alles mit Salz und Pfeffer würzen. Den Weißwein über den Fisch und die Pilze gießen und zugedeckt in etwa 20 Minuten bei mittlerer Hitze garen.

2. Die Fischstücke aus dem Sud nehmen und auf einer vorgewärmten Platte anrichten. Den Sud durch ein Sieb gießen. Die Pilze abtropfen lassen, auf dem Fisch verteilen und alles warm stellen.

3. Die Butter erhitzen und das Mehl darin anschwitzen. 1/4 l von dem Sud dazugeben, dabei kräftig rühren und bei schwacher Hitze etwa 5 Minuten köcheln lassen. Die Sauce von der Kochstelle nehmen. Die Sauce über den Fisch gießen.

4. Die Tomaten waschen, vierteln und dabei die Stielansätze entfernen. Die Zitrone schälen und in Scheiben schneiden. Den Fisch mit den Tomatenvierteln und den Zitronenscheiben garnieren.

5. Den Dill über den Fisch streuen und servieren.

Im Bild oben: Gebratenes Fischfilet
Im Bild unten: Bojaren-Fisch

Seelachs im Teig

Riba w tjeste

Eine Devise der nordrussischen Küstenbewohner lautet: »Ohne Fisch ist schlechter als ohne Brot«. Die Küche in diesen Küstengebieten bietet viele feine und einfache Fischgerichte.

Zutaten für 4 Personen:
5 Eßl. Mehl
Salz
3 Eßl. Crème fraîche
2 Eigelb
1/8 l Milch
800 g Seelachsfilet
1 Eßl. Dill, frisch gehackt
1 Eßl. Petersilie, frisch gehackt
1 1/2 unbehandelte Zitrone
2 Eßl. Sonnenblumenöl
2 Eiweiß
Zum Braten: Öl
12 grüne oder schwarze Oliven

Preiswert

Pro Portion etwa:
2200 kJ/520 kcal
44 g Eiweiß · 30 g Fett
21 g Kohlenhydrate

• Zubereitungszeit: etwa
50 Minuten

1. Das Mehl, Salz, die Crème fraîche, die Eigelbe und die Milch verrühren. Den Teig abdecken und etwa 30 Minuten ruhen lassen.

2. Das Seelachsfilet waschen, trockentupfen und in etwa 1 cm breite und etwa 6 cm lange Stücke schneiden und in eine Schüssel geben.

3. Den Dill und die Petersilie über den Fisch streuen. Mit Salz würzen und alles gut vermischen.

4. Die halbe Zitrone auspressen. Den Zitronensaft und das Öl über den Fisch träufeln, alles mischen und zugedeckt etwa 10 Minuten marinieren.

5. Die Eiweiße steif schlagen und unter den Teig ziehen.

6. In einem Topf reichlich Öl erhitzen. Die Fischstücke mit Hilfe einer Gabel in den Teig tauchen und sofort in dem heißen Öl schwimmend braten, bis sie goldbraun sind.

7. Die Zitrone in 12 Scheiben schneiden. Den Fisch mit den Zitronenscheiben und den Oliven garnieren und servieren.

Kabeljau mit Porree

Treska s lukom-poreem

Zutaten für 4 Personen:
500 g Kabeljaufilet
Salz
3 Eßl. Mehl
4 Eßl. Sonnenblumenöl
2 Stangen Porree
1/2 l Milch
1 Eßl. Dill, frisch gehackt

Gelingt leicht

Pro Portion etwa:
1400 kJ/330 kcal
29 g Eiweiß · 15 g Fett
20 g Kohlenhydrate

• Zubereitungszeit: etwa
40 Minuten

1. Den Kabeljau in 4 gleich große Portionen schneiden. Mit Salz würzen. Den Fisch in Mehl wenden.

2. Das Öl in einer Pfanne erhitzen. Den Fisch darin bei starker Hitze in etwa 10 Minuten goldbraun braten. Einen breiten Topf einfetten.

3. Den Porree gründlich waschen, in dünne Ringe schneiden, salzen und pfeffern. Die Hälfte der Porreeringe in den Topf geben. Darauf den Fisch legen und die restlichen Porreeringe darauf verteilen.

4. Die Milch in einem kleinem Topf aufkochen und sofort über den Fisch gießen. Den Porree und den Fisch bei schwacher Hitze in etwa 15 Minuten garen. Den Fisch mit Dill bestreuen und mit Reis oder Kartoffeln servieren.

Im Bild oben: Seelachs im Teig
Im Bild unten: Kabeljau mit Porree

Champignons mit Dill-Knoblauch-Sauce

Schampinjoni w tschesnotschuom souse

Zutaten für 4 Personen:
600 g große Champignons
Salz
2 Eier
100 g Paniermehl
100 g Sonnenblumenöl
5 Knoblauchzehen
1 Eßl. Dill, frisch gehackt
150 g Crème fraîche

Gelingt leicht

Pro Portion etwa:
2200 kJ/520 kcal
12 g Eiweiß · 44 g Fett
20 g Kohlenhydrate

- Zubereitungszeit: etwa
  35 Minuten

1. Die Champignons waschen und in etwa 1 l Salzwasser 5–10 Minuten sprudelnd kochen. Dann abtropfen lassen.

2. Die Eier verquirlen. Die Champignons darin eintauchen und dann einzeln in dem Paniermehl wenden.

3. Das Öl in einer Pfanne erhitzen und die Champignons darin bei mittlerer Hitze braten.

4. Den Knoblauch schälen. Zusammen mit dem Dill und Salz im Mörser zerstoßen. Diese Mischung mit der Crème fraîche verrühren und über die Champignons gießen.

Kartoffelroulade

Rulet iz kartofelja

Zutaten für 4 Personen:
Für die Kartoffelroulade:
1 kg Kartoffeln
1/8 l Milch
2 Eier
Salz
150 g Butter
Für die Füllung:
300 g gemischtes Gemüse, beispielsweise Möhren, Kohlrabi, Blumenkohl, Knollensellerie, Champignons, rote Bete
50 g Butter
Salz
2 Eier
4 Eßl. saure Sahne
30 g Paniermehl

Preiswert

Pro Portion etwa:
2900 kJ/690 kcal
16 g Eiweiß · 51 g Fett
43 g Kohlenhydrate

- Zubereitungszeit: etwa
  1 3/4 Stunden

1. Die Kartoffeln waschen und bei schwacher Hitze in etwa 30 Minuten garen, abgießen und pellen. Die Kartoffeln noch heiß durch die Kartoffelpresse drücken.

2. Die Milch erwärmen und dazugießen. Mit den Eiern, Salz und 50 g Butter zu einem Teig verkneten. Abdecken und 30 Minuten beiseite stellen.

3. Das Gemüse putzen, waschen und kleinschneiden.

Die Butter erhitzen und das Gemüse darin anbraten. Etwas Wasser und Salz dazugeben und bei schwacher Hitze zugedeckt etwa 10 Minuten garen. Von der Kochstelle nehmen. Die Eier verquirlen und untermischen. Den Backofen mit dem Blech auf 200° vorheizen.

4. Die Kartoffelmasse auf einem nassen Küchenhandtuch etwa 2 cm dick ausstreichen. Das Gemüse darauf verteilen. Mit Hilfe des Küchenhandtuches eine Roulade formen.

5. Das heiße Backblech einfetten und die Roulade mit der Naht nach unten darauf legen.

6. Die saure Sahne verrühren, die Roulade damit bestreichen und mit dem Paniermehl bestreuen.

7. Die restliche Butter erwärmen und darüber geben. Die Roulade im Backofen (Mitte) etwa 15 Minuten backen.

8. Die Roulade in 4 Stücke schneiden und mit Gewürzgurken oder frischen Gurkenscheiben und Tomatenhälften servieren.

Bild oben:
Kartoffelroulade mit Gemüse
Bild unten: Champignons mit Dill-Knoblauch-Sauce

Linsen mit Champignons

Tschetschewiza s schampinjonami

Schon in alten Zeiten bereiteten die armen Bauern ihre tägliche »Tschetschewitschnaja Pochljobka« (Linsensuppe) zu. Später begeisterte sich auch der Adel für das einfache Gericht und verfeinerte es mit neuen Zutaten. So wurde dieses Gericht zu einer beliebten Fastenspeise im alten Rußland.

Zutaten für 4 Personen:
300 g Linsen
200 g Champignons oder Steinpilze
3 mittelgroße Zwiebeln
100 g Butter
Salz
schwarzer Pfeffer, frisch gemahlen
4 saure Gurken

Preiswert

Pro Portion etwa:
1900 kJ/450 kcal
20 g Eiweiß · 22 g Fett
43 g Kohlenhydrate

- Einweichzeit: über Nacht
- Zubereitungszeit: etwa 1 1/4 Stunden

1. Die Linsen waschen und über Nacht in etwa 1 1/2 l Wasser einweichen.

2. Die Linsen mit dem Einweichwasser bei schwacher Hitze in etwa 1 Stunde garen.

3. Die Champignons oder die Steinpilze waschen, putzen und in Scheiben schneiden.

4. Die Zwiebeln schälen und fein würfeln. Die Butter erhitzen. Die Zwiebeln und die Champignons oder die Steinpilze darin dünsten. Mit Salz und Pfeffer würzen.

5. Die Pilze mit dem Bratfond unter die Linsen rühren. Alles noch einmal mit Salz und Pfeffer abschmecken. Mit den sauren Gurken sofort servieren.

Gefüllte Champignons

Farschirowannije schampinjoni

Russen sind leidenschaftliche Pilzsammler. In der traditionellen russischen Küche werden unterschiedliche Sorten verwendet – meist gebraten als Beilage oder als Füllung für Piroggen. »Alle Pilze sind gut«, behauptet ein russisches Sprichwort, denn auf die Zubereitung allein kommt es an.

Zutaten für 4 Personen:
12 große Champignons
1 mittelgroße Zwiebel
150 g geräucherter Speck
3 EßI. Butter
Salz
schwarzer Pfeffer, frisch gemahlen
1 Ei
1 EßI. Petersilie, frisch gehackt

Raffiniert

Pro Portion etwa:
1600 kJ/380 kcal
7 g Eiweiß · 39 g Fett
1 g Kohlenhydrate

- Zubereitungszeit: etwa 35 Minuten

1. Die Champignons waschen und wenn nötig putzen. Die Stiele vorsichtig herausdrehen.

2. Die Zwiebel schälen und in kleine Würfel schneiden. Die Stiele und den Speck ebenfalls ganz kleinschneiden.

3. 1 Eßlöffel Butter in einer Pfanne erhitzen und die Zwiebel, die Champignonstiele und den Speck darin etwa 10 Minuten anbraten. Mit Salz und Pfeffer würzen.

4. Das Ei verquirlen und kurz vor dem Ende der Garzeit dazugeben. Alles verrühren und von der Kochstelle nehmen.

5. Die Champignonköpfe salzen. Die restliche Butter in einer Pfanne erhitzen. Die Pilze darin bei mittlerer Hitze etwa 5 Minuten rundherum anbraten. Dann aus der Pfanne nehmen und mit der Füllung füllen.

6. Die Champignons mit der Petersilie bestreuen. Mit frischem Roggenbrot oder Salzkartoffeln servieren.

Im Bild oben: Gefüllte Champignons
Im Bild unten:
Linsen mit Champignons

40

Spinatauflauf

Sapekanka

Zutaten für 4 Personen:
1 kg Spinat
Salz
100 g Butter
4 Eier
2 Eßl. Milch
1 Eßl. Dill, frisch gehackt
150 g Crème fraîche

Gelingt leicht

Pro Portion etwa:
1800 kJ/430 kcal
14 g Eiweiß · 40 g Fett
3 g Kohlenhydrate

• Zubereitungszeit: etwa 1 Stunde

1. Den Spinat verlesen, putzen, gründlich waschen und in wenig Salzwasser in etwa 10 Minuten garen. Dann herausnehmen und in einem Sieb gut abtropfen lassen.

2. Die Butter in einer Pfanne erhitzen. Den Spinat hineingeben und bei mittlerer Hitze leicht andünsten. Den Backofen auf 200° vorheizen.

3. Die Eier mit der Milch und Salz verrühren. Eine Auflaufform mit etwas Butter einfetten. Den Spinat einfüllen. Die Eiermilch darüber verteilen und im Backofen (Mitte) in etwa 30 Minuten stocken lassen.

4. Den Spinatauflauf auf Teller verteilen, in die Mitte jeweils die Crème fraîche geben und mit Dill bestreuen. Mit frischem Roggenbrot servieren.

Buchweizenkascha

Gnetschnewaja kascha

Um einem Neugeborenen ein langes und erfolgreiches Leben zu sichern, wurde den Fruchtbarkeitsgöttern Kascha, Honig und Käse geopfert. Heute gibt es unzählige Zubereitungsmöglichkeiten der Kascha. Die beliebteste ist die Buchweizenkascha, die stets mit einem Holzlöffel gegessen wird.

Zutaten für 4 Personen:
100 g Buchweizen
200 ml Wasser
Salz
100 g Butter
300 g Champignons
1 Bund Frühlingszwiebeln
schwarzer Pfeffer, frisch gemahlen

Gelingt leicht

Pro Portion etwa:
1300 kJ/310 kcal
5 g Eiweiß · 22 g Fett
21 g Kohlenhydrate

• Zubereitungszeit: etwa
  1 1/4 Stunden

1. Den Buchweizen verlesen. Dann in einer Bratpfanne bei schwacher Hitze unter ständigem Rühren erwärmen, bis er leicht gebräunt ist. Den Buchweizen abkühlen lassen. Den Backofen auf 175° vorheizen.

2. Das Wasser mit 1/2 Teelöffel Salz und 1 Eßlöffel Butter zum Kochen bringen. Den Buchweizen darin bei schwacher Hitze zugedeckt etwa 10 Minuten kochen, bis er anfängt, dick zu werden. Dann zugedeckt im Backofen noch etwa 30 Minuten quellen lassen.

3. Die Champignons waschen, wenn nötig putzen, und in Scheiben schneiden.

4. Die Frühlingszwiebeln gründlich waschen und in dünne Ringe schneiden.

5. Die restliche Butter in einer Pfanne erhitzen. Die Champignons und die Zwiebeln dazugeben und etwa 10 Minuten braten. Mit Salz und Pfeffer würzen und mit dem Buchweizen vermischen.

Tip!

Der Buchweizen schmeckt besser und sieht appetitlicher aus, wenn Sie ihn zuerst ohne Fett kurz anbraten und dann abkühlen lassen, damit die Körner nicht platzen. Danach können Sie den Buchweizen in kochendes Wasser geben.

Im Bild oben: Buchweizenkascha
Im Bild unten: Spinatauflauf

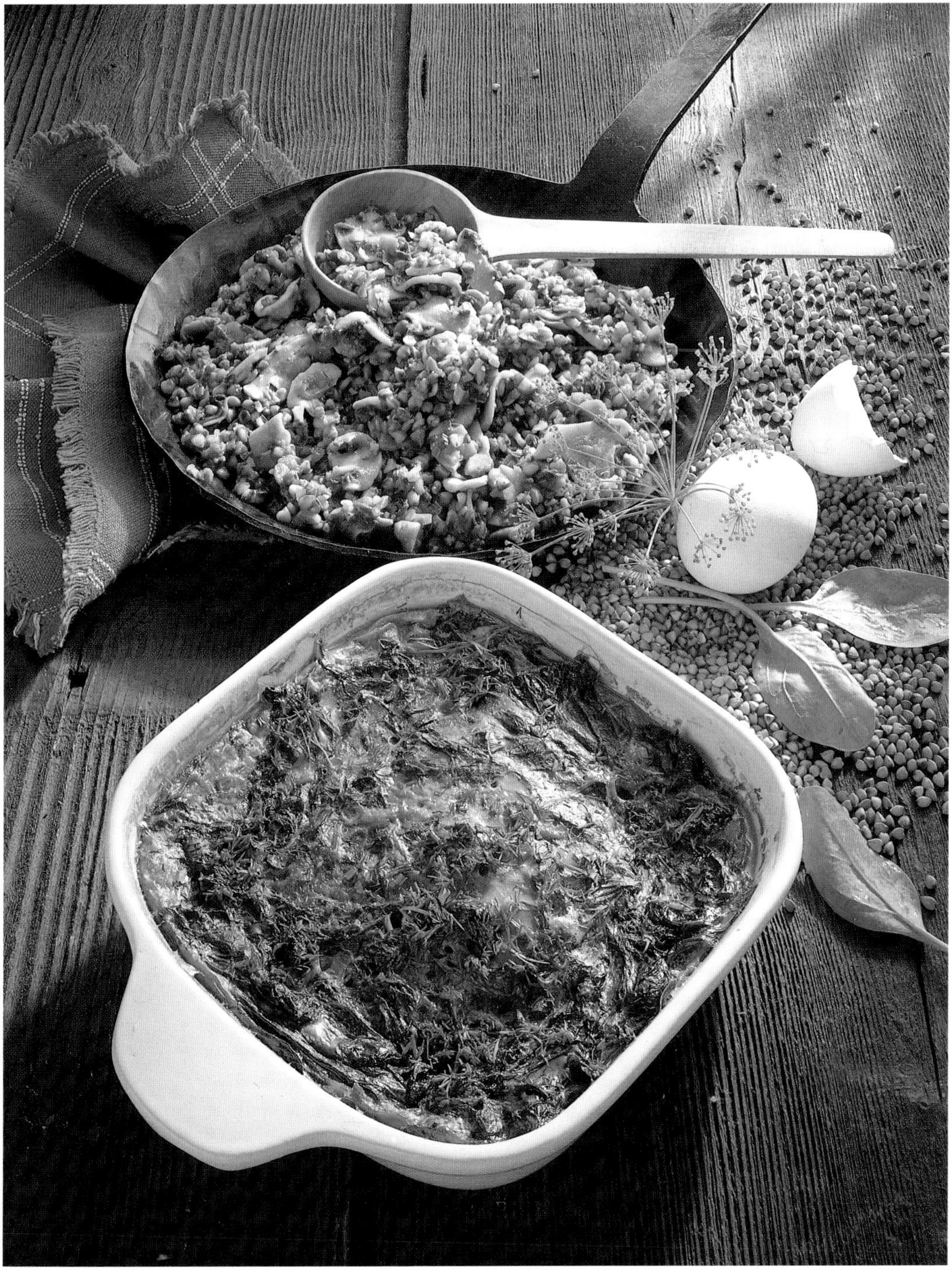

Kürbis
mit Äpfeln

Tikwa s jablokami

Zutaten für 4 Personen:
700 g Kürbisfleisch
600 g Äpfel
2 Eßl. Zucker
1 Eßl. Wasser
60 g Butter
100 g Haselnüsse
1 Eßl. gemahlener Zimt

Gelingt leicht

Pro Portion etwa:
1700 kJ/400 kcal
5 g Eiweiß · 28 g Fett
31 g Kohlenhydrate

- Zubereitungszeit: etwa
  45 Minuten

1. Das Kürbisfleisch in etwa
2 cm große Würfel schneiden.

2. Die Äpfel waschen, schälen,
vom Kerngehäuse befreien und
kleinschneiden.

3. Eine feuerfeste Auflaufform
einfetten. Die Kürbisstücke einfüllen und darauf die Äpfel verteilen. Alles mit dem Zucker
bestreuen, das Wasser dazugeben und die Butter in Flöckchen darauf legen.

4. Den Backofen auf 200° vorheizen. Den Auflauf im Backofen (Mitte) etwa 30 Minuten
backen.

5. Inzwischen die Haselnüsse
grob hacken und mit dem Zimt
mischen. Den Kürbis damit
bestreuen und servieren.

Gurjewer
Kascha

Kascha po-Gurjewski

Der Graf Dimitri Gurjew über-
raschte seine Gäste oft mit un-
gewöhnlichen Desserts. Kascha,
die nur das gemeine Volk kann-
te, wurde mit diesem Rezept
»salonfähig«.

Zutaten für 4 Personen:
1250 g Sahne oder 1 1/4 l Milch
100 g Grieß
1 Kapsel Kardamom
100 g Zucker
1 Päckchen Vanillinzucker
50 g gehackte Mandeln
1/2 Teel. gemahlener Zimt
100 g Kirsch- oder Erdbeerkonfitüre
100 g kandierte Früchte
50 g gehackte Haselnüsse
50 g gehackte Walnüsse
Für die Form: Butter

Braucht etwas Zeit

Pro Portion etwa:
7000 kJ/1700 kcal
18 g Eiweiß · 150 g Fett
95 g Kohlenhydrate

- Zubereitungszeit: etwa
  1 Stunde

1. Den Backofen auf 220° vorheizen. Die Sahne oder die
Milch in eine große, hohe Auflaufform gießen und in den
Backofen (unten) stellen. Zwischendurch den Schaum ab-
nehmen und in einen anderen
Topf gießen. Den Schaum
10 bis 12 mal abnehmen.

2. Die Sahne oder die Milch in
einen Topf umgießen und bei

schwacher Hitze aufkochen
und unter ständigem Rühren
den Grieß einstreuen. Den
Grieß etwa 5 Minuten köcheln
lassen.

3. Die Kardamom-Kapsel öff-
nen. Den Samen zerdrücken.
Den Kardamom, den Zucker,
den Vanillinzucker, die Mandeln und den Zimt unter den
Grieß heben.

4. Eine Auflaufform einfetten.
Den Backofen auf 200° vorheizen.

5. Ein Drittel des Grießbreis in
die Form füllen, etwas Schaum
darübergeben. Darauf das
zweite Drittel Grießbrei füllen.
Darauf wieder Schaum geben,
und die Konfitüre darauf verteilen. Die oberste Schicht muß
Kascha sein. Dann mit dem
restlichen Zucker bestreuen.

6. Die Kascha 5–7 Minuten in
den Backofen (Mitte) stellen, bis
der Zucker goldbraun ist. Dann
die kandierten Früchte kleinschneiden und darüber streuen.
Die restlichen Nüsse in einer
trockenen Pfanne in etwa 2 Minuten rösten und ebenfalls darüber streuen.

Im Bild oben: Kürbis mit Äpfeln
Im Bild unten: Gurjewer Kascha

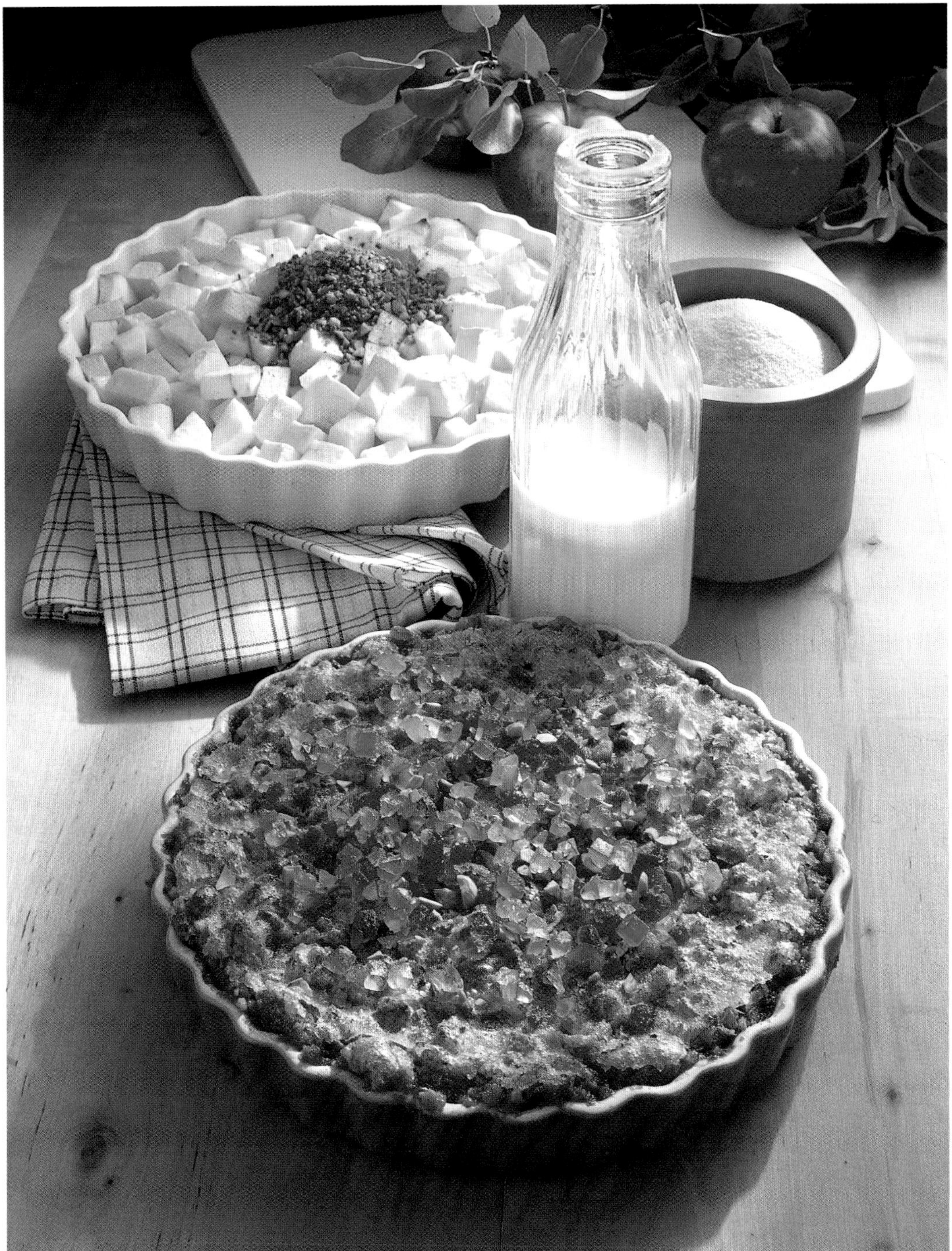

Rote Beten mit Äpfeln

Swjokla s jablokami

Im 11. Jahrhundert kam ein byzantinischer Eindringling in die russische Küche – die rote Bete. Seitdem ist sie in allen russischen Regionen vertreten. Gefüllt, gekocht, gedämpft oder auch roh, gehört sie unbedingt zu einer Sakuskitafel.

Zutaten für 4 Personen:
5 mittelgroße rote Beten
1/4 l Wasser
5 nicht zu feste, süße Äpfel
2 Eßl. weiche Butter
1 Eßl. Mehl
500 g saure Sahne
80 g gehackte Haselnüsse
1 Eßl. Petersilie, frisch gehackt

Preiswert

Pro Portion etwa:
1700 kJ/400 kcal
9 g Eiweiß · 25 g Fett
34 g Kohlenhydrate

- Zubereitungszeit: etwa
  1 1/4 Stunden

1. Die roten Beten waschen, schälen und auf einem Gurkenhobel in Scheiben schneiden.

2. Die roten Beten in einen Topf mit dem Wasser geben, einmal aufkochen und bei schwacher Hitze in etwa 20 Minuten garen.

3. Die Äpfel schälen, in dünne Scheiben hobeln. Die Apfelscheiben zu den roten Beten geben, weitere 10 Minuten bei schwacher Hitze garen.

4. Die Butter erwärmen, mit dem Mehl verrühren und kurz anschwitzen. Die roten Beten dazugeben. 400 g saure Sahne und die Nüsse unterrühren.

5. Die roten Beten auf Teller verteilen, je 1 Eßlöffel von der restlichen sauren Sahne in die Mitte geben, mit Petersilie bestreuen und servieren.

Gedünstete Birnen

Petschonie gruschi

Zutaten für 4 Personen:
700 g große saftige Birnen
Majoran
1 Eßl. Zucker
50 g Butter
1/2 Zitrone
Für die Form: Butter

Schnell

Pro Portion etwa:
780 kJ/190 kcal
1 g Eiweiß · 11 g Fett
21 g Kohlenhydrate

- Zubereitungszeit: etwa
  25 Minuten

1. Die Birnen schälen, halbieren und vom Kerngehäuse befreien. Eine Auflaufform einfetten. Die Birnen mit der Schnittfläche nach unten in die Form geben. Den Backofen auf 250° vorheizen.

2. Den Majoran mit dem Zucker vermischen und über die Birnenhälften streuen. Die Butter in Flöckchen darauf verteilen.

3. Die Birnen im Backofen (oben) etwa 20 Minuten garen. Inzwischen die halbe Zitrone auspressen. Die Birnen mit dem Zitronensaft beträufeln und servieren.

Variante:
Gedünstete Birnen mit Quark

Die Birnen wie beschrieben zubereiten. 100 g Butter mit 150 g Zucker, 1 Päckchen Vanillinzucker, 1 Prise Salz und 2 Eigelben schaumig schlagen. Mit 1 kg Magerquark und 4 Eßlöffeln Grieß verrühren. 2 Eiweiße steif schlagen und unterheben. Eine Auflaufform einfetten. Den Quark einfüllen und im vorgeheizten Backofen (Mitte) bei 200° in 40 Minuten backen. Noch warm mit den Birnen servieren.

Im Bild oben: Gedünstete Birnen
Im Bild unten: Rote Beten mit Äpfeln

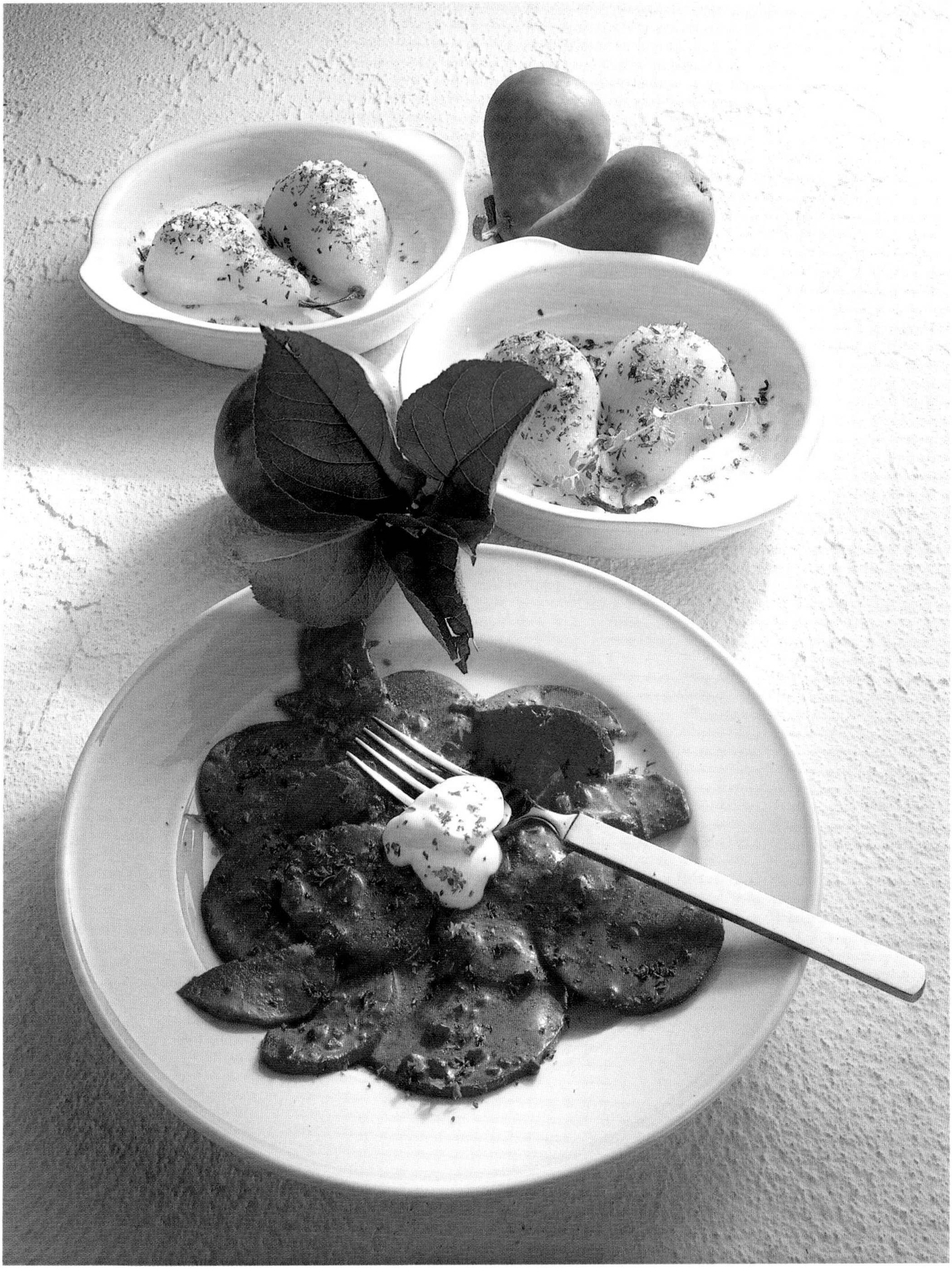

Faule Vareniki

Leniwije wareniki

Zutaten für 4 Personen:
250 g Magerquark
1 Ei
2 Eßl. Zucker
3 Eßl. Mehl
1 Eßl. weiche Butter
Salz
100 g Crème fraîche
Für das Backbrett: Mehl
Zimt

Schnell

Pro Portion etwa:
1000 kJ/240 kcal
11 g Eiweiß · 17 g Fett
14 g Kohlenhydrate

• Zubereitungszeit: etwa
  30 Minuten

1. Den Quark, das Ei, 1 Eßlöffel Zucker, das Mehl und die Butter auf einem Backbrett zu einem Teig kneten.

2. Das Backbrett mit etwas Mehl bestreuen. Den Teig darauf legen und zu einer Rolle von etwa 2 cm Durchmesser formen. Mit einem scharfen Messer etwa 2 cm große Stücke abschneiden.

3. Etwa 2 l Wasser mit Salz zum Kochen bringen. Die Vareniki ins kochende Wasser geben und bei schwacher Hitze 5–6 Minuten ziehen lassen. Den Backofen auf 220° vorheizen.

4. Die Vareniki herausnehmen, abtropfen lassen und in eine feuerfeste Form geben und die Crème fraîche darauf verteilen. Die Vareniki etwa 5 Minuten im Backofen (Mitte) backen. Mit dem restlichen Zucker und Zimt bestreut servieren.

Bliny mit Kaviar

Blini s ikroi

Zutaten für 4 Personen:
250 g Mehl
1/2 Würfel Hefe (20 g)
250 g Buchweizenmehl
1 Teel. Zucker
3 Eier
Salz
1/4 l Milch
100 g zerlassene Butter
500 g Crème fraîche
100 g Kaviar
Zum Braten: Öl

Berühmtes Rezept

Pro Portion etwa:
5400 kJ/1300 kcal
30 g Eiweiß · 85 g Fett
100 g Kohlenhydrate

• Zubereitungszeit: etwa
  1 3/4 Stunden (davon etwa
  1 Stunde Ruhezeit)

1. Das Mehl in eine Schüssel geben. In die Mitte eine Vertiefung drücken und die Hefe hineinbröckeln. 1/2 l lauwarmes Wasser dazugeben und mit etwas Mehl zu einem Vorteig rühren. Den Vorteig etwa 30 Minuten gehen lassen.

2. Das Buchweizenmehl, den Zucker, 2 Eier und Salz hinzufügen und alles zu einem glatten Teig kneten. Nochmal etwa 30 Minuten gehen lassen.

3. Die Milch erwärmen, zum Teig gießen und verrühren.

4. Das restliche Ei in Eiweiß und Eigelb trennen. Das Eiweiß steif schlagen. Das Eigelb unter den Teig rühren. Das Eiweiß vorsichtig unterheben. Eventuell noch einen Schuß warme Milch dazugießen. Der Teig sollte flüssig sein.

5. Öl in einer kleinen Pfanne erhitzen. Den Teig mit einer Schöpfkelle dazugeben und bei schwacher Hitze goldgelb backen. Wenn der Teig oben trocken wird, etwas zerlassene Butter darauf träufeln. Den Bliny wenden und von der anderen Seite braten.

6. Die fertigen Bliny auf einen Teller stapeln. Mit der restlichen zerlassenen Butter, der Crème fraîche und dem Kaviar servieren.

Variante:
Zaren-Bliny
Die Bliny wie oben beschrieben zubereiten. Dann die Bliny stapeln und dabei jeden mit zerlassener Butter und einigen Tropfen Zitronensaft beträufeln und mit Zucker bestreuen. Den letzten mit Konfitüre bestreichen, mit frischen oder kandierten Früchten, gehackten Haselnüssen oder Mandeln bestreuen.

Im Bild oben: Bliny mit Kaviar
Im Bild unten: Faule Vareniki

Piroschki mit Hackfleisch

Piroschki s mjasom

Ein Symbol Rußlands, ein echtes Nationalgericht sind Piroschki. Das Wort Piroschok stammt von dem altrussischen »Pir« (Gastmahl) ab. Noch heute gibt es kein Festessen ohne Piroschki. In jeder Familie werden sie anders gebacken. Sie können ganz verschiedene Formen, Größen oder Füllungen haben. Eines haben sie allerdings gemeinsam: sie schmecken unglaublich gut.

Zutaten für 4 Personen:
Für den Teig:
500 g Mehl
250 g saure Sahne
2 Eßl. weiche Butter
1 Teel. Zucker
Salz
1 Päckchen Backpulver
2 Eier
Für die Füllung:
3 Eier
1 mittelgroße Zwiebel
1 Bund Dill
80 g Butter
200 g Rinderhackfleisch
Salz
schwarzer Pfeffer, frisch gemahlen
Für das Blech:
Butter und Mehl

Für Gäste

Bei 12 Stück pro Stück etwa:
1300 kJ/310 kcal
12 g Eiweiß · 16 g Fett
33 g Kohlenhydrate

- Zubereitungszeit: etwa
  1 Stunde 10 Minuten

1. Das Mehl in eine Schüssel geben und eine Vertiefung hineindrücken.

2. Die saure Sahne, die Butter, den Zucker, Salz und das Backpulver hineingeben. 1 Ei trennen. Das Eiweiß und das Ei hinzufügen und alles zu einem Teig kneten. Das Eigelb beiseite stellen.

3. Aus dem Teig eine Kugel formen und zugedeckt etwa 30 Minuten kühl stellen.

4. Für die Füllung die Eier in etwa 10 Minuten hart kochen.

5. Die Zwiebel schälen und fein würfeln. Den Dill waschen, trockenschütteln und ohne die groben Stiele fein hacken. Die Eier schälen und ebenfalls fein hacken.

6. Die Butter in einer Pfanne erhitzen. Das Hackfleisch, die Zwiebel, den Dill und die Eier dazugeben und alles etwa 15 Minuten bei mittlerer Hitze braten. Dann das Fleisch mit Salz und Pfeffer würzen.

7. Von dem Teig 12 gleich große Stücke abreißen und daraus etwa 1/2 cm dicke Kreise ausrollen.

8. Je 1 Eßlöffel von der Fleischfüllung in die Mitte geben. Den Kreis so zusammenklappen, daß ein Oval entsteht.

9. Den Backofen auf 200° vorheizen. Das Backblech mit Butter einfetten und mit Mehl bestreuen. Die Piroschki mit der

Naht nach unten in kleinen Abständen darauf verteilen.

10. Das Eigelb verquirlen. Die Piroschki damit einpinseln und etwa 15 Minuten im Backofen (Mitte) backen.

Varianten für Füllungen:
Mit Fisch
Statt Hackfleisch 500 g Fischfilet vom Seelachs, Zander, Wels, Sterlet oder Stör in sehr kleine Stücke schneiden, mit Salz und Pfeffer würzen. Die Füllung mit Zwiebel, Dill und Eiern wie oben beschrieben zubereiten. Die Piroschki damit füllen und wie im Rezept beschrieben fertigstellen.

Mit Pilzen
800 g Champignons oder andere Pilze putzen, waschen und fein schneiden. Die Zwiebel sehr fein schneiden. Die Champignons und die Zwiebel in 3 Eßlöffeln Butter etwa 10 Minuten braten. Dann 4 Eßlöffel saure Sahne dazugießen. 1 Bund Petersilie fein hacken und untermischen. Salzen und pfeffern.

Mit Quark
250 g Magerquark mit 2 Eiern, 100 g Zucker, etwas Salz, 1 Eßlöffel zerlassener Butter, 1 Päckchen Vanillinzucker oder 1 Eßlöffel Rosinen verrühren.

Ofenfrische Piroschki – einfach köstlich! Sie schmecken immer: als Vorspeise, zu Wodka, Suppen, Hauptgerichten oder auch zum Tee.

Sibirische Pelmeni

Sibirskije pelmeni

Pelmeni stammen ursprünglich aus der Mongolei. Heute gibt es je nach Region sehr starke Geschmacksunterschiede: die sibirischen Pelmeni sind scharf, werden auch meist mit Senf oder Essig gegessen. In der Ukraine bekommen sie süße Füllungen und werden mit reichlich Butter und Sahne serviert. Sie schmecken auch noch am nächsten Tag, wenn sie mit Butter erwärmt werden.

Zutaten für 4 Personen:
Für den Teig:
300 g Mehl
2 Eier
5 Eßl. Wasser
Salz
Für die Füllung:
100 g Rindfleisch und 100 g Schweinefleisch
oder 200 g Rinderhackfleisch
1 mittelgroße Zwiebel
100 ml Wasser
Salz
schwarzer Pfeffer, frisch gemahlen
1 Eiweiß
100 g zerlassene Butter
150 g Crème fraîche
100 ml Weinessig

Raffiniert

Pro Portion etwa:
3000 kJ/710 kcal
23 g Eiweiß · 42 g Fett
58 g Kohlenhydrate

• Zubereitungszeit: etwa
  1 1/2 Stunden

1. Das Mehl in eine Schüssel oder auf ein Backbrett häufen. In der Mitte eine Vertiefung eindrücken.

2. Die Eier mit dem Wasser und Salz mischen, in die Vertiefung gießen und mit dem Mehl verrühren. Daraus einen festen Teig kneten. Den Teig dann etwa 20 Minuten ruhen lassen.

3. Inzwischen für die Füllung das Rind- und das Schweinefleisch waschen und mit Küchenpapier trockentupfen. Die Zwiebel schälen und vierteln.

4. Das Fleisch und die Zwiebel durch den Fleischwolf drehen. Das Wasser, Salz und Pfeffer dazugeben und alles vermischen.

5. Den Teig kneten und dünn ausrollen. Mit einem Glas oder Ausstecher Kreise von etwa 5 cm Durchmesser ausstechen.

6. Mit einem Teelöffel auf jede Kreishälfte kleine Häufchen von der Füllung setzen. Die Ränder mit Eiweiß bestreichen. Die andere Hälfte über die Füllung klappen. Die Ränder mit einer Gabel zusammendrücken.

7. Etwa 3 l Wasser mit Salz zum Kochen bringen. Die vorbereiteten Pelmenis in das kochende Wasser geben und bei mittlerer Hitze etwa 10 Minuten kochen. Herausnehmen und warm halten.

8. Die Pelmeni auf Teller verteilen und mit der zerlassenen Butter übergießen. Die Crème fraîche und den Essig extra dazu servieren. Je nach Geschmack nimmt sich jeder 1 Eßlöffel Crème fraîche auf seinen Teller oder beträufelt die Pelmeni mit Essig.

Varianten für Füllungen:
Mit Kirschen oder Pflaumen

100 g Kirschen oder Pflaumen waschen, entkernen, dabei die Früchte möglichst ganz lassen. Vorsichtig 50 g Zucker untermischen. Die Pelmeni wie beschrieben zubereiten. Diese Pelmeni werden kalt mit Zucker bestreut. Dazu wird in einer kleinen Schüssel Sahne serviert.

Mit Rettich

100 g Rettich putzen, schälen, fein raspeln und kurz in 2 Eßlöffeln Butter dünsten. Abkühlen lassen, mit 2 Eßlöffeln Sahne mischen und die Pelmeni damit füllen. Sie werden mit Sonnenblumen-, Mohn- oder Maiskeimöl und Sahne serviert.

Mit Steinpilzen oder Champignons

100 g Steinpilze oder Champignons waschen, putzen und kleinschneiden. 1 Zwiebel klein würfeln. Die Pilze und die Zwiebeln in 2 Eßlöffeln Butter bei mittlerer Hitze in etwa 10 Minuten dünsten. Salzen, pfeffern und abkühlen lassen. 2 hartgekochte Eier kleinschneiden und untermischen. Die Pelmeni damit füllen, noch heiß und mit zerlassener Butter servieren.

Honigschaum

Medowi mus

Zutaten für 4 Personen:
5 Eier
250 g Honig
150 g Sahne
Zum Garnieren:
geriebene Schokolade, Beeren oder
Obststücke

Gelingt leicht

Pro Portion etwa:
1800 kJ/430 kcal
10 g Eiweiß · 20 g Fett
52 g Kohlenhydrate

• Zubereitungszeit: etwa
  1/2 Stunde
• Kühlzeit: etwa 1 Stunde

1. Die Eier in Eigelbe und Eiweiße trennen. Dabei die Eigelbe in einen Topf geben.

2. Die Eigelbe schaumig schlagen. Den Honig nach und nach hinzufügen und so lange bei schwacher Hitze oder im Wasserbad rühren, nicht kochen, bis die Masse dicklich ist. Von der Kochstelle nehmen und abkühlen lassen.

3. Die Eiweiße und die Sahne getrennt steif schlagen und beides unter die Honig-Eier-Masse ziehen.

4. Den Honigschaum in Dessertschälchen füllen und etwa 1 Stunde in den Kühlschrank stellen. Mit geriebener Schokolade, frischen Beeren oder Obststücken der Saison garnieren und servieren.

Quarkpyramide

Paßcha

Zutaten für 4 Personen:
700 g Magerquark
50 g Rosinen
100 g gemischte kandierte Früchte
50 g Mandeln
2 Eigelb
100 g Zucker
150 g Sahne
1 Päckchen Vanillinzucker
125 g weiche Butter

Braucht etwas Zeit

Pro Portion etwa:
3600 kJ/860 kcal
27 g Eiweiß · 74 g Fett
62 g Kohlenhydrate

• Abtropfzeit: über Nacht
• Zubereitungszeit: etwa
  40 Minuten
• Kühlzeit: etwa 24 Stunden

1. Den Quark in einem Mulltuch über Nacht abtropfen lassen.

2. Die Rosinen waschen und abtropfen lassen. Die kandierten Früchte und die Mandeln fein hacken. Etwa 1 Eßlöffel kandierte Früchte beiseite legen.

3. Dann die Eigelbe mit dem Zucker in einem Topf schaumig schlagen.

4. Die Sahne dazugießen und bei schwacher Hitze so lange schlagen, bis eine dickliche Masse entsteht. Sofort im kalten Wasserbad abkühlen lassen. Den Vanillinzucker, die Butter, und den Quark untermischen.

5. Die Rosinen, die Mandeln und die kandierten Früchte hinzufügen und alles verrühren.

6. Die Paßcha in eine Paßcha-Form oder einen neuen Blumentopf füllen. Den Blumentopf vorher mit einem Mull- oder Leinentuch auslegen, damit es die Feuchtigkeit nimmt. Die Paßcha mit dem überhängenden Tuch abdecken. Einen kleinen Teller mit Gewicht darauf legen und etwa 24 Stunden in den Kühlschrank stellen.

7. Die Paßcha stürzen, mit den restlichen kandierten Früchten garnieren.

Tip!

Paßcha wird zum Festwerden normalerweise in eine pyramidenförmige Holzform gefüllt. Wenn Sie keine Paßchaform haben, können Sie auch einen neuen Blumentopf nehmen. Den Blumentopf vorher gründlich waschen und mit einem Mull- oder Baumwolltuch auslegen. Das Tuch sollte über die Ränder der Form ragen, damit die Paßcha damit abgedeckt werden kann. Sie können aber auch eine Napfkuchen-, Auflauf- oder Puddingform verwenden.

Bild oben: Honigschaum
Bild unten: Quarkpyramide

Osterkuchen

Kulitsch

Zutaten für 1 feuerfesten Topf von
25 cm Ø:
150 g Zucker
3/4 Würfel Hefe (30 g)
600 g Mehl · 125 g Butter
150 ml Milch · 30 g Rosinen
4 große Eier
3 Eßl. Maiskeimöl
3 Eßl. Rum
100 g saure Sahne
1 Teel. gemahlener Zimt
1 Teel. Muskatnuß, frisch gerieben
10 g gemahlene Nelken
5 g Kardamom
2 Päckchen Vanillinzucker
50 g kandierte Früchte
Für das Backbrett und zum Bestreuen:
Mehl
Für den Topf: Butter

Braucht etwas Zeit

Bei 12 Stück pro Stück etwa:
1800 kJ/430 kcal
9 g Eiweiß · 20 g Fett
56 g Kohlenhydrate

- Zubereitungszeit: etwa
  41/2–51/2 Stunden

1. Etwa 30 g Zucker mit der Hefe und etwas Mehl mischen. Lauwarmes Wasser darüber gießen, bis ein dickflüssiger Teig entsteht. Zugedeckt etwa 15 Minuten ruhen lassen.

2. Die Butter zerlassen. Die Milch erwärmen. Die Rosinen waschen, trockentupfen und in Mehl wälzen.

3. Die Eier in Eiweiße und Eigelbe trennen. Die Eiweiße steif schlagen.

4. 3 Eigelbe mit dem restlichen Zucker schaumig schlagen. Die Butter, das Öl, den Rum, die saure Sahne, die Rosinen, die Gewürze, den Vanillinzucker und die kandierten Früchte dazugeben. Langsam die Milch dazugeben und etwas Mehl darüber streuen, dabei ständig rühren. Die Hefemischung hinzufügen. Das restliche Mehl unterrühren. Die Eiweiße unterheben und den Teig 30 Minuten kneten.

5. Den Teig mit Mehl bestreuen und 2–3 Stunden gehen lassen. Den Topf einfetten und mit Mehl ausstreuen.

6. Etwas Mehl auf ein Backbrett streuen und den Teig kneten. Den Teig in den Topf geben und weitere 30 Minuten gehen lassen. Den Backofen auf 180° vorheizen. Die Oberfläche mit dem restlichen Eigelb bestreichen und mit Zucker bestreuen. Im Backofen (Mitte) in 1 Stunde backen.

Weißbrotauflauf mit Äpfeln

Sapekanka

Zutaten für 4 Personen:
500 g Äpfel
100 g Zucker
1 Teel. gemahlener Zimt
2 Eier
1/4 l Milch · 1 Prise Salz
400 g Weißbrot
80 g Butter
50 g Puderzucker
Für die Form: Fett · Paniermehl

Gelingt leicht

Pro Portion etwa:
2900 kJ/690 kcal
14 g Eiweiß · 25 g Fett
100 g Kohlenhydrate

- Zubereitungszeit: etwa
  1 1/4 Stunden

1. Die Äpfel schälen, vom Kerngehäuse befreien und in Scheiben schneiden. Mit dem Zucker und dem Zimt mischen.

2. Die Eier mit der Milch und dem Salz verquirlen.

3. Das Weißbrot in Scheiben schneiden und die Rinde abschneiden. Die Hälfte der Brotscheiben in der Eiermilch einweichen.

4. Eine Auflaufform einfetten und mit Paniermehl ausstreuen. Die eingeweichten Brotscheiben einfüllen. Die Apfelscheiben darauf verteilen.

5. Den Backofen auf 200° vorheizen. Für die obere Schicht die restlichen Brotscheiben nur von einer Seite in der Eiermilch einweichen und mit dieser Seite die Apfelschicht belegen. Die Butter in Flöckchen darauf verteilen und im Backofen (Mitte) in 30–40 Minuten backen. Mit dem Puderzucker bestreut servieren.

Im Bild oben: Osterkuchen
Im Bild unten:
Weißbrotauflauf mit Äpfeln

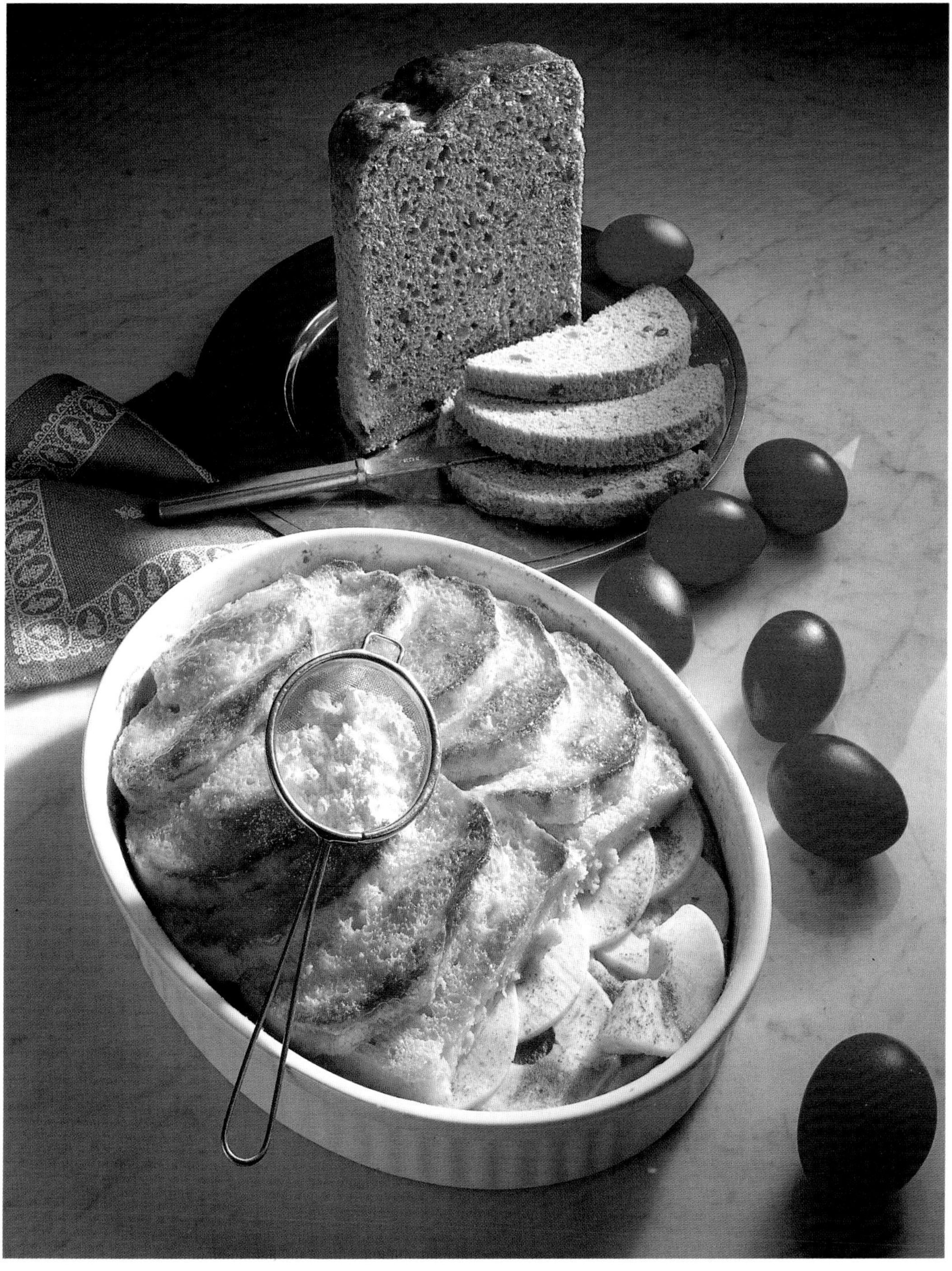

Weizengrütze mit Mohn und Honig

Kutja

Zutaten für 4 Personen:
200 g Weizenkörner
50 g Rosinen
100 g gemahlener Mohn
50 g gehackte Haselnüsse
1 Päckchen Vanillinzucker
200 g Honig
125 g saure Sahne

Gelingt leicht

Pro Portion etwa:
2500 kJ/600 kcal
14 g Eiweiß · 22 g Fett
86 g Kohlenhydrate

- Zubereitungszeit: etwa
  1 1/2 Stunden

1. Den Weizen verlesen, in einem Sieb waschen und in 1 l Wasser bei schwacher Hitze in etwa 1 Stunde garen. Dann abgießen und abkühlen lassen.

2. Die Rosinen waschen und abtropfen lassen.

3. Den Weizen, den Mohn, die Rosinen, die Nüsse, den Vanillinzucker und den Honig in einer Schüssel vermischen.

4. Die saure Sahne dazugeben, alles mischen und in einer Schüssel kalt stellen.

Waffeln

Chworost

Zutaten für 4 Personen:
4 Eier
30 g Zucker
1 Teel. gemahlener Zimt
250 g Mehl
1/4 l Milch
Zum Braten: Öl

Schnell

Pro Portion etwa:
3400 kJ/810 kcal
15 g Eiweiß · 59 g Fett
57 g Kohlenhydrate

- Zubereitungszeit: etwa
  30 Minuten

1. Die Eier trennen. Die Eiweiße steif schlagen.

2. Den Zucker, den Zimt und das Mehl mischen.

3. Die Eigelbe verquirlen. Nach und nach mit dem Mehl und der Milch vermischen, dabei gut rühren, damit sich keine Klumpen bilden. Der Teig muß flüssig sein. Die Eiweiße vorsichtig unterheben.

4. Öl in einem hohen Topf erhitzen. Die Wärmezufuhr verrin-

gern. Den Teig durch einen kleinen Trichter ins Öl fließen lassen, dabei den Trichter so hin und her bewegen, daß ein Ornament oder ein Netz entsteht. Etwa 3 Minuten von jeder Seite goldbraun braten.

5. Aus dem Öl nehmen und auf einem Sieb abtropfen lassen. Auf diese Weise nach und nach den ganzen Teig verbrauchen. Die Waffeln mit Puderzucker bestreuen und noch warm servieren.

Variante:

Wenn Teig übrigbleibt, können Sie daraus Nalivaschniki zubereiten. Dafür noch soviel Mehl hinzufügen, bis der Teig fest ist. Dann dünn ausrollen und kleine Kreise ausstechen. Jeweils in die Mitte der Kreise 1 Teelöffel Kirsch-, Erdbeer- oder Johannisbeerkonfitüre geben. Die Ränder mit Öl bestreichen. Die Kreise zu Halbmonden zusammenklappen. Die Ränder fest zusammendrücken und in heißem Öl braten.

Im Bild oben:
Weizengrütze mit Mohn und Honig
Im Bild unten: Waffeln

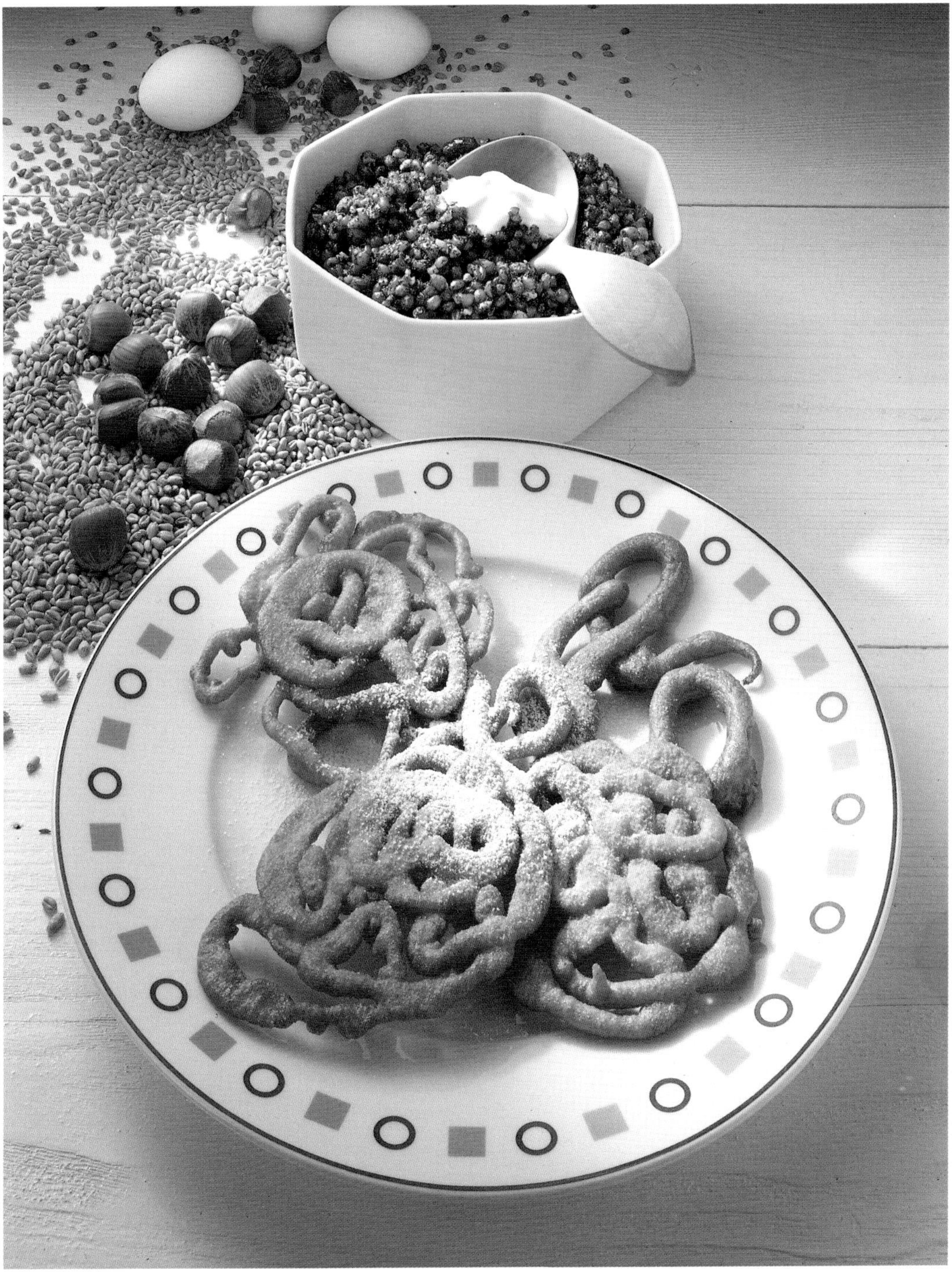

Kwaß

Kwaß

Zutaten für 1 3/8 l:

250 g Roggenbrot

2 l Wasser

1/2 Würfel Hefe (20 g)

100 g Zucker

30 g Rosinen

Berühmtes Rezept

Etwa: 4400 kJ/1000 kcal
22 g Eiweiß · 4 g Fett
230 g Kohlenhydrate

- Zubereitungszeit: etwa
  20 Minuten
- Ruhezeit: etwa 3–4 Tage

1. Das Roggenbrot in dünne Scheiben schneiden, auf ein Backblech legen und im Backofen (Mitte) bei 150° rösten, bis sie leicht gebräunt sind. Die Brotscheiben in ein Gefäß mit mindestens 2 l Fassungsvermögen legen.

2. Das Wasser aufkochen, über die Brotscheiben gießen und abgedeckt 5–10 Stunden stehen lassen.

3. 100 ml Wasser abnehmen, leicht erwärmen und die Hefe mit dem Zucker darin auflösen. An einem warmen Ort etwa 15 Minuten gehen lassen.

4. Die aufgelöste Hefe mit dem Kwaß verrühren und nochmals 5–10 Stunden ruhen lassen, bis sich auf der Oberfläche weißer Schaum bildet.

5. Den Kwaß durch ein Sieb oder ein Tuch gießen und in Flaschen füllen. Die Flaschen jedoch nicht ganz voll füllen.

6. Die Rosinen waschen und in die Flaschen geben.

7. Die Flaschen nicht zu fest verschließen und kühl aufbewahren. Nach 2–3 Tagen können Sie das Getränk genießen. Im Kühlschrank bleibt Kwaß mindestens 1 Woche haltbar.

Kisel

Kissel

Zutaten für 4 Gläser:

400 g Früchte oder Beeren, beispielsweise Äpfel, Kirschen, Johannisbeeren

100 g Zucker

50 g Speisestärke

1 Päckchen Vanillinzucker

Gelingt leicht

Pro Glas etwa:
790 kJ/190 kcal
1 g Eiweiß · 0 g Fett
45 g Kohlenhydrate

- Zubereitungszeit: etwa
  2 3/4 Stunden (davon etwa
  2 Stunden Kühlzeit)

1. Die Früchte oder die Beeren waschen und in einen Topf geben. Große Früchte vorher zerkleinern. Mit 1 l kaltem Wasser bei schwacher Hitze etwa 30 Minuten kochen. Die Früchte abgießen und den Zucker zur Flüssigkeit geben.

2. Das Kartoffelmehl mit wenig kaltem Wasser anrühren und unter die Flüssigkeit rühren.

3. Weitere 10 Minuten kochen lassen, den Vanillinzucker dazugeben und abkühlen lassen.

Honiggetränk

Sbiten

Zutaten für 4 Gläser:

800 ml Wasser

150 g Honig

150 g Zucker

1 Lorbeerblatt

5 g gemahlener Zimt

5 g Nelken

5 g gemahlener Kardamom

5 g Muskatnuß, frisch gerieben

Preiswert

Pro Glas etwa:
1100 kJ/260 kcal
0 g Eiweiß · 0 g Fett
68 g Kohlenhydrate

- Zubereitungszeit: etwa
  35 Minuten

1. Das Wasser aufkochen, den Honig und den Zucker dazugeben, umrühren und bei mittlerer Hitze etwa 15 Minuten kochen lassen.

2. Das Lorbeerblatt, den Zimt, die Nelken, den Kardamom und die Muskatnuß hinzufügen, noch etwa 1 Minute kochen. Dann etwa 10 Minuten ziehen lassen. Durch ein Sieb in Gläser oder Tassen gießen und servieren.

Im Bild rechts: Kwaß
Im Bild links: Kisel
Im Bild unten: Honiggetränk

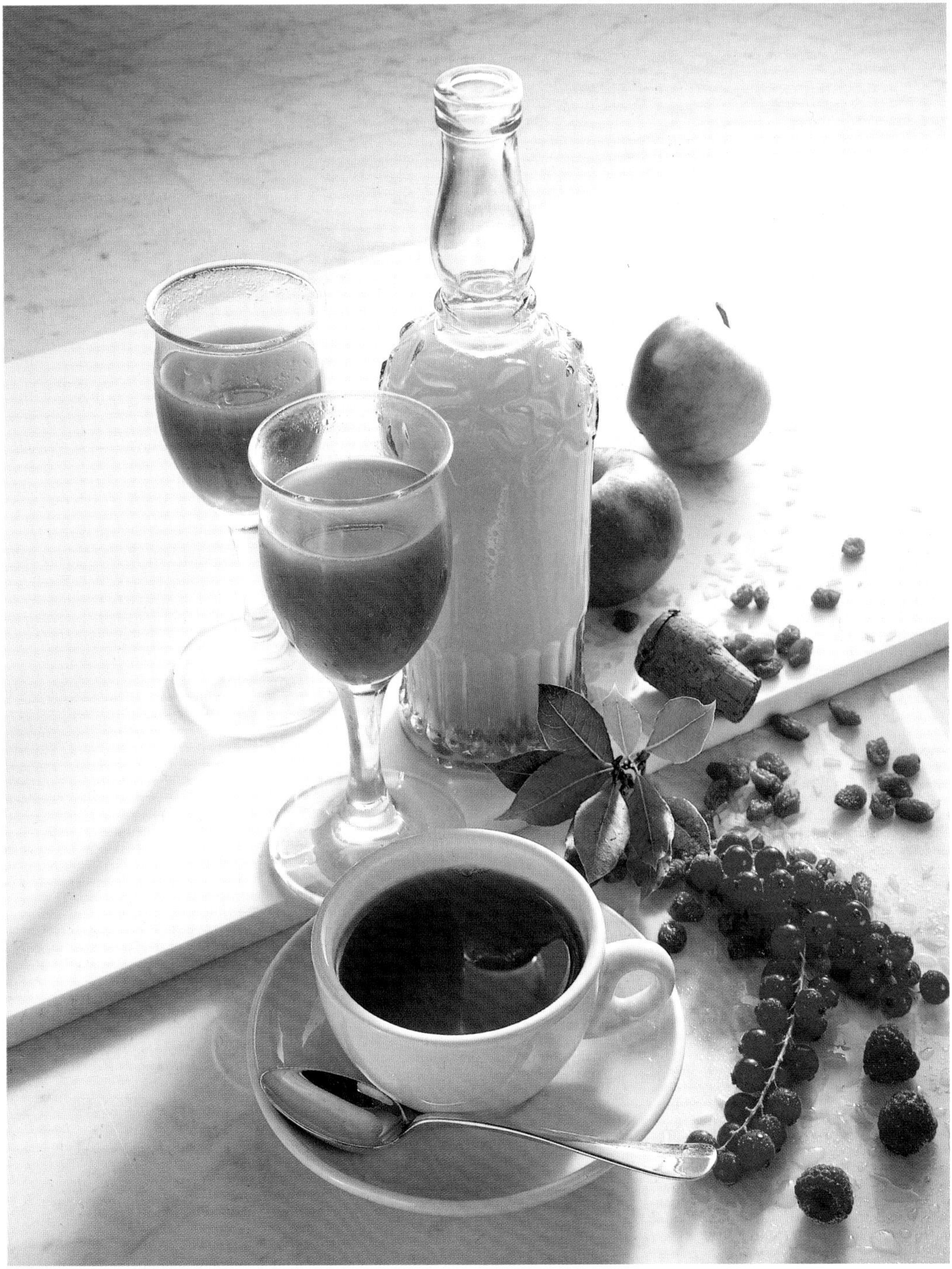

Zum Gebrauch

Damit Sie Rezepte mit bestimmten Zutaten noch schneller finden können, stehen in diesem Register zusätzlich auch beliebte Zutaten wie Äpfel oder Kascha – ebenfalls alphabetisch geordnet und halbfett gedruckt – über den entsprechenden Rezepten.

IMPRESSUM

Umschlag-Vorderseite:
Das Rezept für Bliny mit Kaviar
– Blini s ikroi finden Sie auf
Seite 48.

CIP- Kurztitelaufnahme der
Deutschen Bibliothek
Russisch kochen: Original-
Rezepte, die leicht gelingen;
und Interessantes über die
Küche Russlands / Jelena
Grigorewa. (Die Farbfotos
gestalteten Odette Teubner
und Kerstin Mosny)
– 1. Aufl. – München:
Gräfe und Unzer, 1991
(GU Küchen-Ratgeber)
ISBN 3-7742-1093-4
NE: Grigorewa, Jelena;
Teubner, Odette

1. Auflage 1991
© Gräfe und Unzer GmbH,
München.
Alle Rechte vorbehalten.
Nachdruck, auch auszugs-
weise, sowie Verbreitung durch
Film, Funk und Fernsehen,
durch fotomechanische Wie-
dergabe, Tonträger und
Datenverarbeitungssysteme je-
der Art nur mit schriftlicher Ge-
nehmigung des Verlages.

Redaktion: Dipl. oec. troph.
Maryna Zimdars
Layout: Ludwig Kaiser
Typographie: Robert Gigler
Herstellung: Ulrike Laqua
Farbfotos: Odette Teubner,
Kerstin Mosny, Jelena
Grigorewa (Seiten 4, 5, 7)
Umschlaggestaltung:
Heinz Kraxenberger
Satz: GSD, München
Druck: Appl, Wemding
Reproduktionen: Greineder,
München
Bindung: Sellier, Freising

ISBN 3-7742-1093-4

Jelena Grigorewa

wurde in Tiflis geboren. Später studierte sie Deutsch und Englisch. Während der Semesterferien reiste sie unter anderem kreuz und quer durch die Sowjetunion, um Land und Leute, Sitten und Gebräuche kennenzulernen. Als begeisterte Hobbyköchin interessierte sie ganz besonders das kulinarische Rußland. So lernte sie die typischen Rezepte der verschiedensten Regionen kennen und schätzen.
Heute lebt sie in Stuttgart und fühlt sich mit Rußland noch immer sehr verbunden. Seit 1988 ist sie dort journalistisch und schriftstellerisch tätig. So liegt es nahe, daß sie ihr Hobby und ihren Beruf miteinander verbindet.

Odette Teubner

wurde durch ihren Vater, den international bekannten Food-Fotografen Christian Teubner ausgebildet. Heute arbeitet sie ausschließlich im Studio für Lebensmittelfotografie Teubner. In ihrer Freizeit ist sie begeisterte Kinderportraitistin – mit dem eigenen Sohn als Modell.

Kerstin Mosny

besuchte eine Fachhochschule für Fotografie in der französischen Schweiz. Danach arbeitete sie als Assistentin bei verschiedenen Fotografen, unter anderem bei dem Food-Fotografen Jürgen Tapprich in Zürich. Seit März 1985 arbeitet sie im Fotostudio Teubner.